KB126871

한글의 꿈을 이어 온
19인의 숨은 이야기

한글 대표 선수 10+9

한글 대표 선수 10+9

한글의 꿈을 이어 온 **19인**의 숨은 이야기

초판 1쇄 발행 • 2017년 9월 18일
초판 2쇄 발행 • 2020년 6월 25일

글 • 김슬옹 김웅
그림 • 이수진
펴낸이 • 강일우
편집 • 김현정
디자인 • 최윤창
조판 • 이주니
펴낸 곳 • (주)창비교육
등록 • 2014년 6월 20일 제2014-000183호
주소 • 04004 서울특별시 마포구 월드컵로12길 7
전화 • 1833-7247
팩스 • 영업 070-4838-4938 / 편집 02-6949-0953
홈페이지 • www.changbiedu.com
전자우편 • textbook@changbi.com

ⓒ 김슬옹 김웅 이수진 2017
ISBN 979-11-86367-69-8 43800

한글 대표 선수 10+9

한글의 꿈을 이어 온
19인의 숨은 이야기

김슬옹 · 김응 지음
이수진 그림

창비

머리말

"이제부터 한글을
주류 공식 문자로 선언하노라."

1894년, 고종은 국문(한글) 칙령을 발표했다. 그 당시 한자는 주류 공식 문자였고, 한글은 비주류이자 이류 문자였다. 그런데 그 차례를 바꿔 한글을 주류, 한자를 비주류 문자로 삼겠다는 것이다.

1446년 세종이 한글을 공식 문자로 반포한 지 448년 만에 일어난 일이다. 무려 400년이 넘은 시점에서, 그것도 나라가 기울어 가는 때에 이루어진 선언이었다. 하지만 이 선언은 제대로 지켜지지 못했다. 그 뒤 1910년 국권 피탈 때까지 한글은 비주류 문자로 머물렀다.

국문 칙령이 발표되기 3년 전인 1891년, 미국인 헐버트는 처음으로 한글 전용 교과서를 펴냈다. 이 땅에 사는 지식인들도 400년이 넘도록 하지 못한 일을 스물네 살 나이에 육영 공원 교사로 왔던 헐버트가 해낸 것이다. 안타깝게도 『훈민정음』 해례본 저술에 참여한 8인이나 정약용, 박제가처럼 훌륭한 실학자들조차 한글을 사용하지 않았다.

일본이 10세기 무렵부터 가나 문자를 만들어 지식을 쌓는 동안 우리는 뛰어난 한글을 만들어 놓고도 19세기에 와서야 겨우 쓰려는 움직임을 보인 것이다. 지식 실용화를 무기로 삼은 일본을 지식 실용화를 거부한 우리가 막아 내기는 어려운 일이었다. 그래서 7년 동안 임진왜란을, 36년 동안 일제 강점기를 겪으며 참혹하게 살아야 했다.

　이런 역사 속에서도 한글의 참뜻을 세우고 지키고 키우기 위해 애써 온 사람이 많다. 한글을 창제하고 반포한 세종부터 한글을 지키고 가꾼 사람들까지 많은 위인이 한글의 위대한 꿈을 이어 왔다.

　10월 9일은 한글날이다. 훈민정음, 곧 한글을 창제해서 세상에 펴낸 것을 기념하는 날이다. 뜻깊은 한글날을 더욱더 알리고 기리고자 특별히 조선과 근현대로 나누어 '10+9'인을 뽑았다. 열아홉 위인의 삶을 통해 한글에 담긴 영광의 역사를 아로새기길 바란다. 더불어 많은 이들이 소중하게 지켜 온 한글 사랑 정신이 더욱 빛나면 좋겠다.

571돌 한글날을 앞두고
김슬옹, 김응 적다.

📕 차례

1부 ✦ 조선에서 만나다

2부 ✦ 근현대에서 만나다

일러두기
이 책의 '가상 인터뷰'는 실존 인물과 가상 인물을 다양하게 등장시켜 구성했습니다. 생존 인물의 경우 인터뷰 등장 허락을 구하여 대화를 꾸몄습니다.

★ 1443년
한글 창제

★ 1443~1444년
정음청 설립

★ 1444~1445년
한자 발음 사전
『운회』 한글 번역

★ 1446년
한글 해설서
『훈민정음』
해례본 반포

1443   **1444**   **1445**   **1446**

★ 1606~1612년
최초의 한글 소설
『홍길동전』 출간

★ 1672년경
한글 요리책
『음식 디미방』 출간

★ 1687~1692년
한글 소설 『구운몽』,
『사씨남정기』 창작

1606   **1672**   **1687**

1부

조선에서 만나다

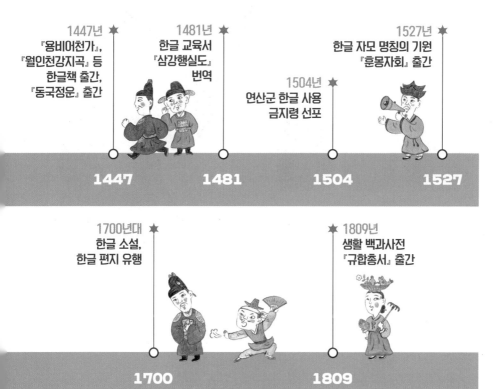

1447년
『용비어천가』, 『월인천강지곡』 등 한글책 출간, 『동국정운』 출간

1481년
한글 교육서 『삼강행실도』 번역

1504년
연산군 한글 사용 금지령 선포

1527년
한글 자모 명칭의 기원 『훈몽자회』 출간

1447 1481 1504 1527

1700년대
한글 소설, 한글 편지 유행

1809년
생활 백과사전 『규합총서』 출간

1700 1809

세종

1397~1450년

한글창의
으뜸상

"백성은 나라의 근본이니 근본이
튼튼해야 나라가 평안하다."

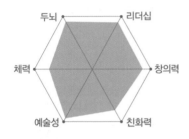

두뇌 · 리더십
체력 · 창의력
예술성 · 친화력

★ 특기

 절대
음감

 과학
기기
발명

 소통과
토론

★ 경력

- 한글 창제 후 『훈민정음』 해례본 반포
- 한글을 한자보다 크게 새긴 『월인천강지곡』 펴냄
- 『훈민정음』을 과거 과목으로 채택
- 해시계 앙부일구를 만들어 백성 스스로 시간을 알게 함

★ 기타

- 문이과 통합형 천재
- 고기를 매우 좋아함
- 출생일 5월 15일을 스승의 날로 지정

세상에 없던, 세상을 바꾼
한글의 창시자

✦ ✦ ✦

어린 시절부터 책과 음악에 푹 빠지다

조선 시대 3대 임금인 태종에게는 아들이 여럿 있었다. 그중 셋째 아들인 이도는 어린 시절부터 유난히 책을 좋아하고 음악에 관심이 많았다. 어느 날은 책을 읽느라고 하루 종일 방에서 나오지 않았다. 그런 아들을 볼 때마다 태종은 걱정을 늘어놓았다.

"사내 녀석이 밖에서 뛰어놀고 사냥도 하고 그래야지. 날마다 책만 보니 큰일이구나."

"아바마마, 책을 읽으면 세상의 온갖 지식을 배울 수 있고, 바깥에 나가지 않아도 수많은 사람과 소통할 수 있어요."

이도의 대답에 태종은 할 말을 잃고 말았다.

'별수 없군. 저 책들을 모두 감출 수밖에.'

그 뒤로 이도는 부모님에게 걱정을 끼치지 않으려고 몰래 책을 봤다.

어느 날, 이도는 형들이 사냥을 하러 나간 사이 혼자 툇마루에 앉아 거문고를 뜯었다. 거문고 선율은 바람을 타고 문밖으로 퍼져 나갔다. 때마침 큰형 이제와 작은형 이보가 집으로 돌아왔다.

"도야, 책만 읽는 줄 알았더니 거문고는 언제 배웠느냐?"

이제가 동생 이도를 신기하게 바라보며 물었다.

"짬짬이 연습했어요. 책을 읽다 새소리가 들리면 저절로 흥이 나서 밖으로 나오게 되더라고요."

"네가 정악원의 기녀들보다 거문고를 더 잘 타는구나."

이보도 맞장구를 치며 말했다.

"형님도 별말씀을 다 하셔요. 형님들은 저보다 잘하는 게 많잖아요."

"우리야 사냥을 좋아하니 말을 타고 활을 쏘는 거야 자신 있지. 그런데 너는 활을 쏘는 것보다 거문고를 뜯는 게 더 좋으냐?"

이보가 이도에게 물었다.

"거문고의 줄들이 제각기 소리를 내면서도 서로 어울려 다채로운 소리를 내는 것이 좋아요."

이도의 말이 끝나자마자 이제가 바짝 다가앉으며 말했다.

"나는 천성이 그래서 그런지 소학 같은 딱딱한 책을 마냥 암기하는 것이 싫다. 이런 자유로운 소리나 들으며 살면 좋겠구나. 나한테 거문고 좀 가르쳐 주련?"

"좋지요."

이도는 흔쾌히 대답했다.

이도는 시간이 날 때마다 형들에게 거문고를 가르쳐 주며 우애를 다졌다. 거문고 연주를 하지 않을 때는 또다시 책에 파묻혀 지냈다. 흥미로운 책을 만나는 날에는 밤을 새워 읽었다.

훗날 이도는 조선 시대 가장 어진 임금인 세종이 되었다. 책과 음악을 좋아한 세종은 임금이 되어서도 백성들을 가르치는 책을 펴냈으며 틈틈이 곡을 쓰고 악보를 만들었다.

어려운 한문을 대신할 새로운 글자를 꿈꾸다

세종이 임금에 오른 지 8년째 되던 1426년 가을날이었다. 세종을 비롯해 영의정, 좌의정, 우의정과 여러 대신들이 어전 회의를 하려고 근정전에 모였다.

"이제 조선이 세워진 지 34년이 흘렀고 짐이 용상에 오른 지 8년이 되었소. 나라가 안정되어 가지만 아직도 나라의 기틀이 잡히지 않은 듯하오. 어찌하면 좋겠소."

세종이 대신들을 향해 걱정을 늘어놓자 대신들 가운데 최고 벼슬인 영의정이 대답했다.

"전하, 우리에게는 대국 명나라 못지않은 법이 있사옵니다. 법에 따라 다스리면 곧 뿌리가 튼튼한 나라가 될 것이옵니다."

"옳은 지적이오. 그러려면 누구나 공평하게 나라의 법을 알고 따라야 하지 않겠소. 그런데 법률문이 한문과 이두로 복잡하게 쓰여 있어서 일반 백성들은 법률문을 읽지 못하니 어찌 법을 따르라고만 할 수 있겠소."

이번에는 우의정이 자신 있게 대답했다.

"한문을 아는 양반 사대부들이 먼저 법률을 배우고 익혀 천한 것들을 가르치면 되옵니다."

우의정의 말에 세종이 한숨을 내쉬며 말했다.

"그걸 내가 몰라서 묻는 것이오? 과연 사대부 양반들 가운데 한문으로 된 법률을 마음대로 읽고 쓰는 자가 몇이나 되오. 이렇게 양반들한테도 어려운데, 이제 막 글을 배우는 생도나 일반 백성들은 어떠하겠소."

"전하, 망극하옵니다."

대신들은 머리를 조아리며 입을 모아 말했다.

"망극하다고만 하지 말고 해결할 방법을 찾아보시오."

"전하, 망극하옵니다."

대신들의 말에 세종은 목소리를 높였다.

"망극, 망극! 그대들은 그 말밖에 모른단 말이오. 먼저 법률문에 능통한 사대부 양반들이 한문을 잘 모르는 하급 관리들을 제대로 가르치도록 하시오."

세종은 대신들에게 이렇게 지시를 내렸지만 한문만 생각하면 답답한 마음을 가눌 길이 없었다. 한문은 중국식 말법대로 쓰는 것이라서 양반들에게도 어려웠다. 10년 넘게 공부해야 책을 읽을 수 있었고, 20년 넘게 공부해야 마음대로 문장을 지을 수 있었다.

그로부터 2년이 흐른 어느 날이었다. 어전 회의가 한창일 때 형조의 관리가 잰걸음으로 들어와 급히 아뢰었다.

"경상도 진주 사람인 김화가 제 아비를 죽였다고 하옵니다."

"뭣이? 부부가 싸우다가 아내가 남편을 죽이고, 종이 주인을 죽이다 못해 이제는 제 아비까지 죽이는 자가 있다고?"

세종이 눈을 부릅뜨며 말했다.

"그런 자는 바로 잡아들여 사지를 찢어 죽여 마땅하옵니다."

술렁이는 대신들 사이에서 누군가 소리쳐 말했다.

"이는 내가 덕이 없는 까닭이로다."

세종이 깊은 시름에 잠기자 판부사 허조가 나섰다.

"신의 나이 예순이 넘는 동안 이런 끔찍한 사건은 처음이옵니다. 그러하오니 반드시 죄를 법률에 따라 엄히 다스려야 할 것이옵니다."

"그야 물론이오. 다만 허조 대감 말대로 죄를 엄히 다스린다고 모든 일이 해결될 문제는 아니오. 이와 같은 끔찍한 사건이 다시는 일어나지 않도록 근본 대책을 마련해야겠소."

판부사 변계량이 임금에게 아뢰었다.

"『효행록』과 같은 책을 반포하여 일반 백성들로 하여금 효와 예를 익히고 실천하게 해야 할 것이옵니다."

세종이 직제학 설순에게 명을 내렸다.

"집현전 학사들은 들으시오. 책으로 어리석은 백성들을 깨우치고 가르치는 수밖에 별다른 방법이 없겠소. 중국에서 펴낸 24명의 효 이야기에 고려 왕조와 삼국 시대에 효를 실천한 자들의 이야기까지 모두 모아 『효행록』을 다시 펴내도록 하시오."

그렇게 세종의 명으로 『효행록』을 펴냈지만 한문으로 쓰여 있다 보니 백성들에게 책을 퍼뜨리고 그들을 가르치기가 쉽지 않았다.

"글을 읽지 못하니 아무리 좋은 책을 펴내도 소용이 없구나. 거리에서 노는 아이들과 골목 안 여염집 부녀자들도 쉽게 알 수 있도록 글에 그림을 곁들여 보거라."

설순은 집현전 학사들과 함께 효행 글에 그림을 곁들여 『삼강행실도』를 펴냈지만 역시 한문으로 쓰여 어렵기는 마찬가지였다.

책을 널리 알리고 백성들을 가르치는 일이 몇 차례 실패로 끝나자 세종의 근심은 날이 갈수록 깊어졌다.

"문제는 글자로구나. 내가 만일 누구나 읽을 수 있는 글자를 만들어 책을 낸다면 어리석은 백성들도 쉽게 읽고 뜻을 깨달아 충신이 되고 효자가 되고 열녀가 될 텐데."

그날 밤 세종은 밤새도록 잠을 이루지 못하고 나라와 백성들을 위해 반드시 새 글자를 만들겠다고 다짐했다.

세상 모든 소리를 적을 수 있는 한글을 만들다

어느 날 세종은 답답한 마음을 가눌 길 없어 아미산으로 산책을 나갔다. 개울물은 졸졸 흐르고 참새는 짹짹 울며 날아다녔다. 그때 세종의 머릿속에 무언가가 떠올랐다.

"그래, 졸졸, 짹짹과 같은 소리를 적을 수 있는 문자를 만든다면 백성들도 글을 쉽게 배우고 쓸 수 있겠지."

세종은 이런저런 생각을 하며 산을 내려왔다.

며칠 뒤에는 경회루로 산책을 나갔다. 마침 중전 소헌 왕후도 산책을 나와 있었다.

"중전, 이곳엔 어인 일이오."

"잠시 바람을 쐬러 나왔나이다. 그나저나 전하의 얼굴에 걱정이 가득하옵니다. 무슨 일이라도 있사옵니까?"

"별일 아니오. 중전이야말로 요즘 붓글씨로 마음을 다스린다고 들었소."

"네, 전하. 뒤죽박죽인 마음을 다스리는 데는 붓글씨가 최고이옵니다."

"허허. 그렇소. 그런데 뒤죽박죽인 마음은 한자로 어떻게 쓰시오."

중전은 어떻게 대답해야 할지 몰라 머뭇거렸다.

"옛 성현들의 말씀을 그저 옮겨 적는 것이지 뒤죽박죽인 제 마음을 적는 것은 아니옵니다."

그때 세종의 머릿속에 또다시 번뜩이는 생각이 떠올랐다.

"뒤죽박죽인 마음을 적을 수 있는 문자를 만들자."

그날 저녁 세종은 신하들을 데리고 저잣거리로 나갔다. 왁자지껄 떠들며 술을 마시는 백성들의 말이 귓전을 때렸다. 어떤 노인은 거나하게 취해 노랫가락을 불러 댔다.

세종은 우두커니 백성들의 말과 노래를 들으며 더욱 마음을 다졌다.

"그래, 저들의 말을 그대로 적을 수 있는 문자를 만들겠노라."

궁으로 돌아온 세종은 새 문자에 대한 꿈으로 촛불을 더욱 밝혔다.

어느 날은 사람의 목을 닮은 피리로 직접 실험을 해 보았다. 어떤 구멍을 막느냐에 따라 음이 달라졌다. 또 어느 날은 어린 왕자들을 불러 놓고 발음 과정을 살폈다.

"각이라고 해 보렴."

"각, 각, 깍, 까악."

왕자들은 까닭도 모른 채 오리처럼 소리를 냈다. 그 모습에 세종은 무릎을 치며 말했다.

"각은 세 소리로 이루어졌구나. 그것이 바로 초성, 중성, 종성이로구나. 세 소리가 모두 보이는 글자를 만들자. 초성과 종성은 발음 나는 곳이 명확하니 그곳을 본떠 만들면 되겠어."

세종은 눈을 지그시 감고 'ㅣ'라고 발음해 보았다. 입이 살짝 벌어지면서 혀 앞쪽에서 소리가 나왔다. 다음에는 혀를 살짝 뒤로 당기면서 발음했더니 'ㅡ' 소리가 나왔다. 더 당기면서 깊숙이 발음하니 'ㆍ' 소리가 나왔다.

"옳거니, 가장 깊숙이 나오는 'ㆍ'는 하늘을 본뜨고 'ㅡ'는 땅을 본뜨고 'ㅣ'는 사람을 본떠 중성자를 만들면 되겠어. 점과 직선만으로 만들어야 백성들이 쉽게 쓸 수 있지."

이렇듯 오랜 시간 연구한 끝에 사람의 말소리는 물론이고 닭의 울음소리, 개 짖는 소리, 바람 소리까지 모두 적을 수 있으며, 슬기로운 사람은 하루아침에 익히고 어리석은 사람도 열흘이면 깨칠 수 있는 새 문자 한글이 탄생하게 되었다.

쌍둥이 형제 훈민과 정음이
세종을 만나다

훈민, 정음 세종 임금님, 안녕하세요! 저희는 쌍둥이 형제 훈민, 정음입니다.

세종 오, 내가 만든 글자 '훈민정음'과 이름이 같구나. 어쩐지 더 친근하게 느껴지는걸.

훈민 임금님 덕분에 한글이 있어서 자랑스럽고 좋아요. 그런데 왜 훈민정음을 한글이라고 부르게 된 걸까요?

세종 새 글자를 만든 뒤 백성을 가르치는 바른 소리라는 뜻으로 '훈민정음'이란 이름을 붙였지. 백성들이 쓰는 글이란 뜻에서 '언문'으로 불리기도 했단다. 당시 언문을 쓰는 사람이 일반 백성들과 여성들이었다 보니 그 이름 또한 낮춰 부르는 말이 되어 버렸어. 그런데 일제 강점기에 우리글, 우리말을 쓰지 못하게 되자 한글학자 주시경 선생이 우리 글자를 지키기 위해 한글이라는 이름을 짓게 되었지. 나도 한글이라는 이름이 마음에 든단다.

정음 아, 그렇군요. '훈민정음'이란 말도 좋지만 '한글'이란 말도 부르기 쉽고 좋아요. 임금님께서 백성들을 사랑하셔서 깨우치려는 마음으로 한글을 만드셨다고 들었는데요, 그렇다 해도 새로운 글자를 만든다는 게 쉽지 않으셨을 것 같아요.

세종 한자는 물론이고 몽골 파스파 문자, 인도 산스크리트 문자, 중국 티베트 문자, 일본 문자까지 그 어떤 글자도 쉽게 배우면서 소리를 완벽하게 적지 못했지. 그래서 10년 이상을 소리의 근본 원리부터 연구했단다. 발음 기관과 발음하는 모양을 본떠 자음 다섯 자를 만들고, 하늘과 땅과 사람을 본떠 모음 세 자를 만들었어. 그것을 바탕으로 1443년에 한글 기본 글자 28자를 만들었지.

훈민 한글을 만들면서 힘든 점은 없으셨어요?

세종 비밀리에 혼자 만드는 게 가장 힘들었단다. 당시 사대부 양반들은 한자와 한문을 목숨처럼 여겼어. 평민들이 모르는 한문을 통해 공자님 맹자님 말씀을 배우고 익히는 것이 자신들의 특권이라 여겼기 때문이야. 그러니 사대부 양반들에게 새로운 글자를 만들자고 이야기했다면 단 한 명도 받아들이지 않았을 거야.

정음 역시 새로운 글자를 만드는 일은 쉽지 않았군요. 그러면 한글을 만든 다음 세상에 알리는 일도 쉽지 않았을 것 같아요.

세종 한글을 만든 지 두세 달 뒤에 집현전 부제학인 최만리와 몇몇 신하들이 반대 상소를 올리기는 했지만 집현전 학사 정인지, 최항, 박팽년, 신숙주, 성삼문, 이개, 이선로, 강희안과 함께 『훈민정음』 해례본을 펴냈지. 『훈민정음』 해례본은 최만리와 같은 반대 세력이 나오지 않도록 양반들을 가르치고 설득하기 위해 한글 창제 취지와 한글에 대한 설명을 한자로 쓴 책이었어.

훈민 아, 그렇다면 『훈민정음』 해례본은 한자로 쓴 책이라 일반 백성들이 읽을 수 없었겠군요.

세종 그렇단다. 『훈민정음』 해례본을 반포하고 한 달쯤 지나서 국가 권력의 핵심 기관인 의금부와 승정원 대신들을 문책하는 공문서를 한글로 내렸지.

정음 관리들이 한문으로만 쓴 공문서를 보다가 한글로 쓴 공문서를 보고 놀랐을 것 같아요.

세종 놀라고 신기하게 생각했지. 공문서가 한글로 쓰여 있다 보니 한글을 못 배운 관리들도 서둘러 배울 수밖에 없었어. 그다음에는 책을 편찬하고 인쇄하기 위해 정음청을 설치하고 과거 과목에 한글을 넣기도 했단다. 이렇게 하급 관리들까지 한글을 배우게 하니 전국 방방곡곡으로 한글이 퍼져 나갈 수 있었지.

훈민 한글이 알려지면서 재미있는 일은 없었나요?

세종 물론 여러 가지 일이 있었지. 그중 기억에 남는 일은 한글을 반포한 지 3년쯤 지났을 때였어. 누군가 한글로 "하 정승아 또 공사를 망령되게 하지 마라"라는 벽서를 붙였지. 하급 관리들이 당시 영의정 부사로 있던 하 정승에 대한 불만을 나타낸 거야. 그 일만 봐도 백성들이 한글로 자신의 생각을 쉽게 전달하고, 의사소통을 하지 못해 억울한 일을 당하지 않게 되었다는 사실을 알 수 있었지.

정음　저도 가끔 억울한 일이 생기면 일기장에라도 마구마구 적어 놓는데요. 한글이 없었다면 한문으로는 쓰지 못하고 끙끙거리다 에잇! 하고 포기했을 거예요. 그럼 속이 더 상했겠죠?

훈민　임금님, 오늘 만나 뵙고 이야기 나누어서 정말 좋았어요. 임금님께서 만드신 한글을 앞으로도 더욱 자랑스럽게 쓰는 훈민과 정음이 되겠습니다.

● 15세기 훈민정음 자음자가 만들어진 원리

갈래	상형 원리	원형 문자	가획 원리	
어금닛소리(아음)	혀뿌리가 목구멍을 막는 모양	ㄱ	→ㅋ	ㆁ
혓소리(설음)	혀끝이 윗잇몸에 닿는 모양	ㄴ	→ㄷ→ㅌ	ㄹ
입술소리(순음)	입 모양	ㅁ	→ㅂ→ㅍ	
잇소리(치음)	이 모양	ㅅ	→ㅈ→ㅊ	ㅿ
목구멍소리(후음)	목구멍 모양	ㅇ	→ㆆ→ㅎ	

● 15세기 훈민정음 모음자가 만들어진 원리

상형 원리		음운 특성		원형 문자	합성 원리	
					초출자	재출자
하늘	하늘의 둥근 모양	양성	혀가 오그라드는 깊은 소리	·	ㅗ ㅏ	ㅛ ㅑ
땅	땅의 편평한 모양	음성	혀가 오그라들지 않는 얕은 소리	ㅡ	ㅜ ㅓ	ㅠ ㅕ
사람	사람이 서 있는 모양	중성	혀가 조금 오그라들고 깊지도 얕지도 않은 소리	ㅣ		

문종

1414~1452년

한글반포
공로상

"정음의 꿈을 위해 책을 많이 펴내리라."

★ **특기**

한글 교육 및
한글책 편찬

민본주의
과학 정치

★ **경력**
- 세종을 도와 한글 창제를 이룸
- 측우기를 발명하여 물난리와 농사에 활용하게 함
- 조선의 비밀 병기 '신기전' 개발

★ **기타**
- 중국 사신들도 인정한 꽃미남
- 세자 수업만 약 30년 했던 그야말로 준비된 왕
- 재위 2년 4개월 만에 39세 나이로 병사

한글 창제와 반포의
숨은 공로자

✦ ✦ ✦

초정리 약수터에서 아버지와 함께 새 문자를 꿈꾸다

세종은 한글 창제를 앞두고 건강이 급격히 나빠졌다. 특히 눈병이 심해 지팡이가 없으면 길을 걸을 수조차 없었다. 상황이 그러다 보니 훗날 문종이 된 세자 이향에게 정치를 맡기고 한글 창제를 마무리하는 작업에 온 힘을 쏟았다.

"아바마마, 오늘도 안색이 좋지 않으십니다. 건강이 많이 안 좋으신 건 아닌지요?"

"어젯밤에 좀 무리했더니 그새 몸이 알아차리고 반응을 보이는구나. 아무래도 초정리에 가서 며칠 지내다 와야겠다."

세종은 몸이 아플 때마다 요양을 하러 충청도 보은에 있는 초정리 약수터에 머물렀다. 하지만 요양하러 갈 때조차 새로운 글자 연구에 필요한 책들을 이것저것 잔뜩 싸 가지고 가는 바람에 마음 편히 쉬지 못했다.

그리고 새 문자를 만든 뒤 세상에 널리 알리려면 세자의 역할이 무엇보다 중요하다고 생각했던 터라 세종은 초정리에 갈 때마다 꼭 이향을 데리고 갔다.

한글 창제는 세종이 비밀리에 진행하던 일이라 왕자들과 정의 공주 말고는 아는 사람이 없었다. 그러하니 신하들은 세종이 초정리 약수터에까지 이향을 데려가는 까닭을 알지 못했다.

"여봐라, 이번에도 초정리 약수터에 세자와 함께 가야겠구나. 떠날 준비를 하여라."

세종의 말에 몇몇 신하들이 반대하고 나섰다.

"전하, 나라의 중대한 행차도 아닌데 세자까지 동행하시는 것은 옳지 못합니다. 세자께서는 왕궁을 지키셔야 하옵니다."

"내가 늙어서 나랏일을 세자에게 모두 맡겼으니, 비록 자잘한 일일지라도 함께 논의하고 결정함이 마땅하지 않겠소. 만약 세자를 늘 동궁에만 있게 한다면 나랏일을 어찌 함께 논의할 수 있겠소. 함께 가며 나라의 중요한 일들을 의논하려 함이오."

이렇듯 세종은 신하들의 반대에도 이향과 함께 초정리 약수터에 머무르며 새 문자 한글에 대해 긴밀하게 논의했다.

"물은 역시 초정리야. 맑은 물을 보니 마음까지 깨끗해지는 것 같구나."

세종의 밝은 모습을 보며 이향이 대답했다.

"예, 아바마마. 초정리에 오니 옥체가 한결 가벼워 보이십니다. 정말 다행입니다."

"그래, 침침하던 눈도 오늘은 잘 보이는구나."

"새 문자 만드는 일은 마무리가 잘되어 가는지요?"

세종이 주변을 살피며 대답했다.

"쉿! 목소리를 낮춰라. 사대부들이 새 문자를 만든다는 사실을 알게 되면 상소가 빗발칠 것이다."

"예, 아바마마."

"향아, 너는 내가 이렇게까지 하면서 새 문자를 만들려는 진정한 이유를 알고 있느냐?"

"높으신 뜻을 어찌 다 알겠사오나 기본 뜻은 아옵니다. 만백성이 쉬운 문자로 쓰인 글을 읽고 지식과 지혜를 깨칠 수 있도록 하기 위함 아니옵니까?"

"잘 보았구나. 특정한 사람만이 깨칠 수 있는 문자는 진정한 문자가 될 수 없지."

세종의 말에 이향은 뿌듯한 마음이 들었지만 이내 얼굴에는 걱정이 어렸다.

"새 문자를 만든다는 사실을 알면 틀림없이 양반들이 반대할 터인데 그 문제는 어찌하시렵니까?"

"바로 그 때문에 집현전 학사들을 시켜 새 문자 해설서 『훈민정음』 해례본을 쓰게 할 것이다. 초안이 완성되면 초정리에 다시 와서 함께 내용을 살펴보자꾸나. 어떻게 하면 새 문자를 백성들에게까지 잘 퍼뜨릴 수 있을지 고민도 하고."

"예, 아바마마. 소자가 곁에서 성심껏 배우고 도울 테니 아바마마께서는 옥체를 잘 돌보셔야 합니다."

세종과 이향은 새 문자가 완성되는 날을 떠올리며 서로 손을 맞잡았다.

정음청을 지켜 내기 위해 노력하다

세종이 수많은 업적을 남기고 승하한 후 세자가 왕위에 올랐다. 선왕이 세상을 뜬 지 1년도 되지 않았는데 조정에는 정음청을 폐지하라는 상소가 빗발쳤다. 정음청에서는 주로 불경을 한글로 옮긴 책들을 찍어

나라 곳곳에 보냈다. 그중에는 부처를 찬
양하는 노래를 담은 『월인천강지곡』도
있었다. 『월인천강지곡』은 1449년에
세종이 부인 소헌 왕후의 명복을 비는
마음을 담아 지은 책으로 한자보다
한글을 세 배 가까이 크게 써넣었다.

"세상에나, 이럴 수는 없소!"

"유교를 따라야 하는 조선에서 불경책을 펴내다니!"

"이러다 조선의 뿌리마저 흔들어 놓겠소!"

"당장 정음청을 없애야 하오!"

사대부 양반들은 너 나 할 것 없이 목소리를 높였다.

나라 상황이 어수선하자 문종은 아버지 세종이 더욱더 그리웠다. 나
랏일에 잠을 제대로 이루지 못할 때가 많다 보니 문종의 몸은 점점 허
약해지고 얼굴에는 핏기가 사라져 갔다. 하지만 세종이 그랬듯이 학문
을 익히고 신하들과 토론하는 일은 게을리하지 않았다.

하루는 임금과 신하가 정치를 논하는 경연 자리가 끝난 뒤 대사헌 안
완경이 문종 곁으로 다가왔다.

"주상께서 일찍이 신 등에게 정음청의 주자를 이미 주자소로 돌려보
내라는 지시를 내렸다 이르셔서 실로 기뻐하였는데, 다시 들으니 그 반
을 정음청에 남겨 두어 중요하지 않은 책을 찍어 낸다 하므로 신 등이
전하의 뜻을 알기 어렵습니다. 날이 가도 정음청을 폐지하지 않으시니
나라 안이 시끄러울 뿐입니다. 전날의 지시를 가볍게 고칠 수가 없으니

하루빨리 결단을 내리셔야 합니다.”

문종은 세종이 생전에 한글 보급을 위해 큰 뜻을 품고 세운 정음청을 없애는 것이 마땅치 않았다. 세종 못지않게 한글을 널리 알리고 싶은 마음이 컸기 때문이다.

문종은 고심 끝에 집현전 학사들에게 명을 내렸다.

“정음청에서 『소학』을 언문으로 펴내도록 하여라.”

『소학』은 사대부 양반들이 중요하게 여기는 성리학책이니 『소학』을 한글로 번역해서 펴내면 더는 반대하지 않을 것이라 생각했다. 하지만 그들이 문종의 마음을 모를 리 없었다. 나이 지긋한 사대부 양반들이 젊은 임금인 문종을 몰아붙였다.

“전하, 제발 간곡히 부탁 드리옵니다. 소신들의 뜻을 저버리지 마시옵소서.”

“정음청은 선왕께서 설치한 기관인데 어찌 내가 함부로 폐지할 수 있겠소. 수양 대군도 선왕의 명으로 불경 언해인 『석보상절』을 짓지 않았소. 모두 선왕의 깊은 뜻이 담긴 책이란 말이오. 요즘 사헌부에서 여러 대신들이 상소까지 올리니 내가 정음청을 폐지하려는 마음은 있소. 그러나 지금은 『소학』을 인쇄해야 하니 끝마치기를 기다리는 수밖에 방법이 없지 않소.”

그해 12월, 문종은 정음청에서 『소학』 인쇄를 다 끝내자 도승지를 불렀다.

“이제 주자를 주자소에 내려 주어야 할 텐데, 들으니 주자소의 자리가 좁아 간수할 만한 공간이 없다고 하오. 그러니 정음청에 주자를 두고 주자소의 관리가 두 곳을 왕래하면서 감독하고 맡아보는 게 어떻겠소?"

문종은 대신들의 반발에도 정음청을 끝까지 지키고 싶었다. 하지만 도승지는 번거롭다는 이유로 문종의 의견을 받아들이지 않았다. 문종은 할 수 없이 대신들과 약속한 대로 인쇄용 주자를 주자소에 내려 주었다. 평소 몸이 약한 데다 젊어서인지 나이 든 대신들의 압력을 이겨 낼 수 없었다.

집현전 부제학 최만리가
문종을 만나다

최만리 전하께서는 세자 시절부터 집현전 학사들을 아끼셨지요. 누구에게나 자상하게 대해 주시니 저희 집현전 학사들 모두 전하를 좋아하고 존경했습니다. 집현전이나 동궁에서 신하들이 왕세자를 모시고 공부하고 토론하는 서연 자리에서 전하와 함께 책을 읽고 이야기를 나누던 때가 생각납니다.

문종 대감은 언제나 나를 친구처럼 대하다가도 잘못을 저지르면 엄하게 꾸짖는 스승이었지요.

최만리 하하. 제가 감히 왕세자를 꾸짖다니요.

문종 하기야 대쪽 같은 성격을 지녔으니, 한글 반대 상소도 올렸을 테지요. 20년 동안 세종 전하의 사랑을 받아 집현전 부제학까지 오른 분이 세종 전하께서 심혈을 기울여 만든 한글을 반대하셨으니 전하께 미움을 살 만도 했지요.

최만리 제가 한글 반대 상소를 올릴 때 크게 세 가지 이유를 들었습니다. 첫째, 사대주의에 어긋나는 일이다. 둘째, 한글 때문에 양반들이 공부를 멀리한다. 셋째, 억울한 죄인이 생기는 것은 관리들 탓이지, 죄인이 글자를 몰라서가 아니다. 그래도 저와 같이 반대하는 사람이 있어야 좋은 것은 살리고 나쁜 것은 바로잡을 수 있는 것 아니겠습니까? 전하께서는 곁에서 오랜 시간 한글 연구를 도왔으니 세종 전하께서 한글을 만드신 뜻을 가장 잘 알고 계시지요.

문종 한글 모음에는 천지인삼재와 음양 이치를 담았고, 자음에는 물, 나무, 불, 쇠, 흙의 오행을 담았지요. 천지자연의 소리가 있으면 천지자연의 문자가 있는 법. 그 이치를 그대로 담은 것입니다. 그러하니 새 문자 한글을 쓰게 되면 음양의 이치대로 사는 것이므로 곧 하늘의 뜻대로 살아가는 것이지요. 그리하여 양반이든 평민이든 한글로 쉽게 지혜를 깨치게 하려던 것인데, 일부 양반들이 한글을 반대하니 답답하기 그지없었지요.

최만리 이제 사실을 말하자면, 사대부 양반들은 어려운 한문으로 지식과 지혜를 독점해 왔는데, 그것이 깨지는 게 두려워서 한글 쓰는 걸 반대했지요.

문종 그런 분위기에서도 과인은 『훈민정음』 해례본을 서연의 정식 과목으로 채택했지요. 한글을 널리 알리려 했던 세종 전하의 뜻을 따르고 싶었습니다.

최만리 전하께서 건강하게 오래 사셨다면 세종 전하의 뜻을 받들어 한글을 널리 알리는 데 더 많은 일을 하셨을 텐데, 세상과 일찍 작별하신 게 아쉽습니다.

문종 중국과의 관계와 한자 문화로 이루어진 동양 문명의 흐름을 고려하여 한글 반포를 반대한 대감의 뜻을 어찌 모르겠습니까. 하지만 그럴수록 만백성이 거대한 문명을 받아들이고 문화와 지식을 나눌 수 있는 문자가 필요했지요. 한자로는 불가능하지만 한글로는 가능한 일이니까요.

03

신숙주

1417~1475년

한글만국
통일상

"이제 훈민정음으로 적으면 그 어떤 소리도
털끝만큼도 틀리지 아니한다."

두뇌 / 리더십 / 창의력 / 친화력 / 예술성 / 체력

★ 특기

동아시아
언어

타고난
문학가

★ 경력

- 『훈민정음』 해례본 집필 참여
- 최초의 한글 발음 표준서 『동국정운』을 대표로 저술
- 중국어 학습서 『훈세평화』 펴냄
- 『북정록』, 『해동제국기』 등으로 군사, 외교 분야에 탁월한 업적 남김

★ 기타

- 호방하고 태평한 성품의 소유자
- 모든 분야에서 능력을 발휘한 당대 엄친아

한글 반포에 큰 공을 세운
최고의 언어 능력자

✦ ✦ ✦

중국 요동을 열세 번이나 다녀오다

세종은 백성들에게 하루빨리 한글을 알리고 싶었다. 그래서 하급 관리 10여 명을 먼저 가르치고, 기능공 수십 명을 모아 급히 판각을 새겼다. 더불어 중국의 한자 발음 사전인 운서를 한글로 옮기는 작업을 시작했다.

그러던 어느 날, 세종이 어전으로 집현전 부수찬 신숙주를 불렀다.

"이번에 운서를 번역하면서 보니, 기존 중국 운서들 발음이 제각각이지 뭐요. 도대체 어떤 발음이 정확한지 모르겠소."

"중국 황제들도 천 년 이상 공을 들였지만 뜻글자인 한자로는 제대로 적기 어려웠을 것이옵니다."

세종은 한글 28자로 한자 발음을 모두 적을 자신이 있었다.

"이제 새 글자가 완성되었으니, 우리 글자로 제대로 된 운서를 만들어야겠소. 다만 중국 발음을 정확히 모르니, 그대가 중국 요동 땅에 좀 다녀와야겠소."

"요동 땅은 천릿길인데 어인 일이옵니까?"

"그대도 중국의 음운학자인 황찬을 알 것이오. 그가 요동에 귀양 와 있다고 하니 만나 보면 어떨까 싶소. 중국의 운서들만 들여다보느니 중국 학자의 설명을 직접 듣는 게 낫지 않겠소."

"백번 옳은 말씀이시옵니다. 소인 천릿길도 한걸음에 다녀오겠습니다."

신숙주는 세종의 명을 받들어 집현전 학사 성삼문, 동시 통역사 손수산과 함께 요동 땅을 향해 떠났다.

세 사람은 스무 날이 걸려 요동 지방에 도착한 뒤 황찬이 머무는 초막집을 찾아갔다. 하지만 집 안에는 아무도 없었다.

"황찬 나리를 찾아오셨나 보구려."

집 앞을 서성거리자니 이웃 사내가 말을 걸었다.

"그렇소. 황찬 선생을 만나러 조선에서 왔소이다. 선생은 어디 가셨소?"

손수산의 말에 사내가 대답했다.

"관아에 조사를 받으러 가셨소."

세 사람은 하는 수 없이 허탈한 마음을 안고 발길을 돌려야 했다. 며칠 뒤 다시 황찬의 집을 찾았지만 역시 집은 비어 있었다. 손수산이 이웃 사내를 찾아 물었다.

"도대체 황찬 선생은 언제쯤 돌아오시오?"

사내가 고개를 가로저으며 대답했다.

"이번에는 좀 오래 걸릴 것 같소."

먼 길을 쉬지 않고 달려왔지만 황찬을 만나는 것은 생각만큼 쉽지 않았다.

"오늘도 허탕인가 봅니다."

손수산의 말에 신숙주와 성삼문은 온몸에 힘이 빠졌다. 누구랄 것도 없이 세 사람은 툇마루에 걸터앉아 먼 산을 바라보았다.

그 뒤에도 여러 차례 걸음을 했지만 하루하루 시간만 보낼 뿐 황찬을 만나지 못했다. 하지만 신숙주는 포기하지 않았다. 비가 오는 날도, 숨이 막힐 정도로 더운 날도 가리지 않고 황찬의 집을 찾았다. 그러던 어느 날 드디어 황찬을 만날 수 있었다.

"어서 오시오. 나를 만나러 여러 번 오셨다는 이야기를 들었소."

황찬은 신숙주 일행을 방 안으로 들였다.

"조선의 젊은이들을 환대해 주셔서 고맙습니다."

"그 먼 곳에서 귀양살이하는 자를 만나러 오시니 몸 둘 바를 모르겠소이다."

인사를 주고받은 뒤 신숙주가 정중하게 세종의 뜻을 전했다.

"우리 임금께서 운서 연구에 관심이 많으시어 운서 책을 엮고 있는데, 중국 발음을 옮기다 보니 어려운 점이 많아 도움을 청하러 왔습니다."

"내가 조선말은 잘 모르지만 아는 만큼 도와드리리다."

"오늘 여쭤볼 것은 중국 한자음과 조선 한자음의 차이에 관한 것입니다. 예를 들어 '군(君)'의 첫소리와 '뀨(虯)'의 첫소리는 어떤 차이가 있습니까? '군'의 'ㄱ'은 조선말 '곰'의 'ㄱ'과 같은 듯한데 '뀨(虯)'의 첫소리는 조선말 '꼴까닥'의 '꼴'과 같은지요?"

"어려운 질문을 하셨소이다. 중국에서 'ㄱ'은 엉기는 소리로, 강하고 길게 목구멍을 울려 내는 소리지요. 다시 '꼴까닥'이라고 말해 보시오."

"꼴까닥, 꼴까닥."

신숙주와 성삼문이 합창하듯 소리를 냈다. 황찬이 두 사람의 발음을 곰곰이 듣고는 말했다.

"같은 듯 다르군요. 우리는 'ㄲ'을 울림소리로 발음하지만 조선에서는 안울림소리로 발음하는 듯하오."

신숙주는 황찬의 이야기를 귀담아들으며 받아 적었다. 그리고 조선으로 돌아와 배우고 들은 것들을 세종에게 빠짐없이 전했다.

그 뒤 신숙주는 한자음과 운서의 체계를 배우려고 멀고 먼 중국 요동 땅을 열세 번이나 찾았다. 그렇게 고생한 덕분에 중국의 한자음을 한글로 옮기고 정리하는 데 물꼬가 트였다.

집현전 학사들과 함께 『동국정운』을 펴내다

『훈민정음』해례본이 반포된 후 한자음을 한글로 옮기고 정리한 『동국정운』이 완성될 무렵이었다. 언제나 그렇듯 신숙주는 늦은 밤까지 운서를 번역하고 연구하느라 집현전에 머물렀다. 그날은 성삼문과 박팽년도 남아 『동국정운』의 마무리 작업에 힘을 보탰다.

"우리는 본문을 손보는 작업이 거의 다 끝나 가는데 자네 서문 쓰는 것은 어찌 되어 가나?"

성삼문이 묻자 신숙주가 기지개를 펴며 말했다.

"나도 다 써 가네. 어느새 『동국정운』을 마무리한다 생각하니 감개무량하이. 마침 서문의 한 문장이 나를 감동시키는구면."

그리고는 눈을 지그시 감고 이어 말했다.

"하늘과 땅이 서로 어울려 통하니 사람이 생기고 음양이 서로 만나 기운이 맞닿아 소리가 생겨났다! 어떤가?"

신숙주 곁에 있던 박팽년이 무릎을 치며 대답했다.

"참으로 명문이네. 사람이 천지자연의 이치대로 태어나 살아가듯 말도 그러하니, 지역이 다르면 뜻은 통할지라도 소리가 다른 경우가 많지 않겠나?"

성삼문이 덧붙여 말했다.

"우리나라 풍습과 기질이 중국과 다르니 말의 소리가 중국과 다른 것은 당연하지 않겠나."

박팽년과 성삼문의 말에 신숙주는 피곤이 가신 듯 환하게 웃어 보였다.

"글자가 만들어지지 않았을 때는 바른길을 가기 위해 하늘과 땅의 이치에 따랐지. 글자가 만들어진 뒤에는 훌륭한 사람의 길이 책에 실렸으니, 그것을 배우려면 마땅히 글의 뜻을 먼저 알아야 하고, 글의 뜻을 알려면 마땅히 말소리부터 알아야 하네. 그렇다면 말소리를 아는 것은 곧 훌륭한 사람의 길을 배우는 시작일세. 이리하여 주상 전하께서 말소리에 마음을 두시고 모든 것을 두루 살피시고 우리글을 만드셔서 후손들의 영원한 길을 열어 주신 것 아니겠나?"

"맞는 말일세. 역시 신숙주일세."

"주상 전하의 마음을 이리 잘 알고 있으니 자네가 대표로 서문을 쓰는 것 아닌가."

신숙주는 벗들의 칭찬에 멋쩍은 듯 웃어 보였다.

박팽년과 성삼문이 집으로 돌아간 뒤에도 신숙주는 밤늦도록 서문을 고치고 또 고쳤다. 그러다 책상에 앉은 채 깜박 잠이 들고 말았다.

그 무렵 세종도 사정전에서 밤늦도록 책을 보고 있었다. 세종은 문득 집현전 학사들이 생각나 내시를 불렀다.

"박 내관, 요즘 집현전에서 밤새워 일하는 사람이 있다고 하던데, 이 늦은 시간까지 누가 남아 있는지 보고 오너라."

박 내관은 경회루 옆에 자리한 집현전으로 한걸음에 달려갔다. 집현전 안을 살펴보니 신숙주가 책상에 엎드려 잠들어 있었다. 박 내관은 급히 돌아가 그 사실을 세종에게 아뢰었다.

"어허, 그렇구나. 한기가 들어 몸이 상할지 모르니 내 옷이라도 덮어주고 오너라."

새벽녘에 잠에서 깬 신숙주는 깜짝 놀라고 말았다.

"아니, 이것은 임금님 옷이 아닌가."

신숙주는 신하를 아끼는 세종의 마음에 크게 감동하여 더욱더 연구에 매달렸다.

집현전 학사 성삼문이
신숙주를 만나다

신숙주 드디어 『훈민정음』 해례본이 반포되었구먼. 이렇게 집현전에 앉아 경회루를 보며 책을 어루만지고 있으니 감회가 남달라.

성삼문 그러게 말일세. 우리 둘이 요동을 열세 번이나 다녀오면서 절친이 되었네그려.

신숙주 그때 우리가 주고받은 시 생각나나? 내가 먼저 읊었지.

> 잇소리, 혓소리, 입술소리, 어금닛소리, 발음 아직도 익숙지 못하니
> 중국 사신 길 기자를 묻는 헛걸음되었네.
> 삼경의 초생달에 고향 생각 떠오르고
> 한때의 훈훈한 바람 나그네 시름 흔드누나.
> 요동 하늘에 먼지이니 먼 시야 희미하고
> 골령에 구름 걷히니 푸르름 드러나네.
> 소매 속에서 때때로 제공들의 글을 보며
> 되는 대로 흥얼대니 작별의 설움 새로워라.

성삼문 그랬지. 나도 생각나네. 자네 시를 듣고 절로 화답하고 싶어지더군.

> 나의 학문 그대보다 거칠고 못 미쳐
> 요양의 만 리 길 함께 감 부끄럽네.
> 자리 위 호족 장사치는 나와 무릎 마주하고
> 하늘가의 먼 나그네 인정을 못 이겨 하네.
> 꿈속의 고국 참으로 갈 수 없는데
> 봄 지난 동산의 숲은 푸르기만 하구나.
> 글귀마다 모두 백설의 명곡이니
> 화답하여 온갖 시름 잊을 수 있네.

신숙주 몇 달이나 걸렸던 고된 일정이었지만 우리가 그 고생을 한 덕에 『훈민정음』해례본이 빛을 보았네.

성삼문 세종 임금님의 지휘 아래 움직인 것이기는 하나, 한자음까지도 맘껏 적을 수 있는 한글의 매력에 우리가 푹 빠진 덕분 아니겠나?

신숙주 그렇지. 세종 임금님께서는 어떻게 이런 글자를 만들 생각을 하셨는지 지금 다시 생각해도 참으로 놀라우이. 그렇지만 우리의 우정도 당당히 한몫을 한 셈이야.

성삼문 그렇지. 명나라를 숭상하여 한자가 아닌 문자 쓰는 것을 오랑캐의 짓으로 여긴 몇몇 노대신의 반대가 있었지만 그 덕에 더욱 튼실한 책이 되었네.

신숙주 맞아. 그들을 설득하기 위해 밤낮을 가리지 않고 더욱더 철저히 연구했었지.

성삼문 자네는 감회가 더 새로울 걸세. 곧 나올『동국정운』을 펴내는 데도 큰 역할을 했지. 중국 황제들이 천 년이 넘도록 해 오지 못한 일을 조선에서 해내지 않았나.

신숙주 그렇지. 중국은 땅이 넓어서 그런지 발음이 몹시 혼란스러웠지.『동국정운』에 중국의 고대 한자부터 조선에서 쓰는 한자들까지 모아 표준 발음을 달아 놓으니 오락가락했던 발음들이 정리가 되었어.

성삼문 참으로 가슴이 벅차네. 중국의 한자 발음까지 우리가 표준을 만든 셈이니 말일세. 그 엄청난 일에 자네가 중심 역할을 해 주었으니 참으로 대단하이.

신숙주 어찌 그것이 나 하나의 공이겠나? 늘 쓴소리 같은 질문과 열띤 토론으로 함께 땀을 흘린 우리 모두의 공이지.

● 『동국정운』의 표지와 차례

『동국정운』은 우리나라 최초로 18,801자의 한자음을 사성과 함께 2,205자의 한글로 적은 책이다. 세종의 명으로 신숙주·최항·성삼문·박팽년·이개·강희안·이현로·조변안·김증 아홉 사람이 지었다. 1447년에 편찬을 끝내고 1448년에 간행되었다.

최세진

14??~1542년

한글교육
펼침상

"한글을 잘 알면 외국어도 잘할 수 있다."

두뇌 / 리더십 / 창의력 / 친화력 / 예술성 / 체력

★ 특기

| 중국어 번역 | 사대 문서 작성 | 중국어 운서 연구 |

★ 경력

- 한글 자음과 모음의 명칭 정리
- 한자 학습서 『훈몽자회』 펴냄
- 중국어 회화책 『노걸대』와 『박통사』를 한글로 번역

★ 기타

- 중종 임금의 총애를 받음
- 능력이 뛰어나 중인 신분에서 양반 신분으로 이동
- 사대부들에게는 눈엣가시

실용 한글 교육 시대를 연 동시 통역사

✦ ✦ ✦

중국어 회화책 『번역 노걸대』를 펴내다

최세진은 대대로 외국어 통역사인 역관을 지낸 집안에서 태어났다. 그러다 보니 어린 시절부터 할아버지와 아버지 곁에서 한글을 깨치고 한자와 중국어도 익혔다.

최세진은 성장한 후 역관이 되었는데, 중국에서 사신이 오면 통역을 도맡을 정도로 중국어 실력이 뛰어났다. 외국어 통역사들이 근무하던 사역원에서 통역사들을 가르치기도 했다. 당시 수업을 할 때 사용하던 교재는 고려 시대부터 내려오던, 한문으로 쓰인 『노걸대』라는 책이었다.

『노걸대』는 고려의 상인이 본국 특산물을 중국에 가져가서 팔고, 그곳 특산물을 사서 귀국할 때까지의 이야기를 담은 중국어 회화책으로,

여행이나 교역에 알맞은 대화들로 구성되어 있었다. 책 제목에서 '걸대'는 중국인이라는 뜻이고, '노'는 서양의 '미스터'와 같은 말이다. 다시 말해 '미스터 중국인'이란 뜻인 셈이다.

최세진은 여느 날처럼 역관들을 모아 놓고 『노걸대』로 수업을 하고 있었다.

"자, 그럼 내가 먼저 읽을 테니 너희들은 따라 읽어라. 니충나리레(從那裏來)."

역관들은 낭랑한 목소리로 따라 읽었다.

"니충나리라이."

"누가 번역해 볼까?"

최세진의 말에 박 역관이 손을 번쩍 들었다.

"네. '당신은 어디로부터 왔습니까?'라는 뜻입니다."

"옳지. 그럼 그런 느낌을 살려 다시 읽어 보게."

"니쭝……."

박 역관은 다시 읽으려 했지만 자신이 조금 전에 어떻게 발음했는지 생각나지 않아 고개만 갸우뚱했다. 그 모습을 지켜본 최세진이 무릎을 치며 말했다.

"옳거니! 한자로 된 중국어 학습서에 한글로 음을 달면 한자와 중국어 발음을 정확하게 적을 수 있을 테니 그것을 책으로 내면 중국어를 배우는 사람들에게 아주 좋겠구나."

최세진은 그로부터 몇 달 동안 꼼짝 않고 중국어를 한글로 번역하는 데 몰두했다.

> 我從高麗王京來　내 高麗 王京으로셔브터 오라　나는 고려 왕경 으로부터 왔습니다.
>
> 如今那裏去　이제 어드러 가는다는　이제 어디로 갑니까?
>
> 我往北京去　내 北京 향ᄒᆞ야 가노라　나는 북경을 향하여 갑니다.

『번역 노걸대』가 완성되자 사역원의 역관들은 더 쉽고 편리하게 중국어를 배울 수 있었다. 그러한 노력 덕분에 최세진은 중인 신분으로 높은 벼슬까지 올라갔다. 신분을 뛰어넘기가 하늘의 별 따기만큼 어려웠던 시절, 최세진은 뛰어난 재주와 능력으로 양반들도 하기 힘든 정2품 벼슬을 지낸 것이다.

자음과 모음의 이름을 짓고 차례를 정하다

하루는 이웃집 역관이 최세진을 찾아왔다.

"최 선생님, 요즘 아드님 중국어 교육은 잘되는지요?"

"훈민정음으로 중국 발음을 적어 가르치니 아주 쉽게 배우더군요."

따라 하기 어려운 중국 한자 발음을 한글로 적어 놓으니 어린아이들도 쉽고 정확하게 중국어를 배울 수 있었다.

"저도 말씀하신 대로 우리 애들을 가르치고 있습니다. 그러고 보면 세종 임금님께서 우리에게 위대한 선물을 주셨습니다."

"그렇지요. 세상의 모든 소리를 적을 수 있는 문자 '정음' 덕분에 이웃 나라 말들을 배우는 데 큰 도움이 됩니다."

"그런데 'ㄱ, ㄴ, ㄷ, ㅏ, ㅑ'와 같이 초성과 중성을 가리키는 문자를 뭐라고 불러야 할지 모르겠습니다. 중성자는 그냥 '아, 야'식으로 부르면 쉬운데 'ㄹ, ㄴ' 이런 글자는 어떻게 읽어야 하나요?"

이웃 역관의 질문에 최세진은 아무 답도 하지 못하고 고개만 갸웃거렸다.

'무심결에 우리 글자 훈민정음을 써 오긴 했는데, 기본 이름조차 모르다니!'

최세진은 골똘히 생각에 잠겼다. 그리고 이웃 역관이 돌아간 뒤 『훈민정음』 해례본을 뒤적였다. 하지만 아무리 찾아도 한글 기본 글자의 이름은 나오지 않았다.

"『훈민정음』 해례본에 'ㄴ, ᄂᆞ'이라고 써 놓은 것으로 보아 가장 기본적인 모음을 붙여 발음했을 거야. 'ᄂᆞ' 또는 '니'. 그런데 'ᆞ'는 깊은 소리라 편하게 발음하기 어려우니 그리할 수도 없었겠지. 아마도 'ㅣ'를 붙여 발음하지 않았을까. 그렇다면 간결해서 좋긴 한데 글자 이름으로는 명확하지 않군."

최세진은 다른 자료들을 찾아보았다. 그랬더니 자료마다 자음을 부르는 이름이 가지각색이었다. 모음은 그냥 단독으로 발음되니 '아야어여'식으로 부르면 되지만 모음의 도움을 받아야 발음되는 자음은 정확한 표준 이름이 없었다.

"그동안 훈민정음을 쓸 줄만 알았지 자음과 모음의 기본 이름조차 지을 생각을 못 했군. 자음과 모음의 이름부터 지어야겠어."

최세진은 자모의 이름을 짓기 위해 글자 모양도 살피고 소리를 내어 발음도 해 보았다. 그렇게 여러 날을 고민한 끝에 가장 간편하게 발음할 수 있는 기본 모음을 넣어야겠다고 생각했다.

"그래, '이', '으'를 넣어 자음의 이름을 만들면 되겠어."

최세진은 자음이 쓰이는 위치도 살펴보았다.

"옳지! 'ㄱ'은 첫소리 글자도 되고 끝소리 글자도 되니 기본 모음을 넣어 '기윽(기역), 니은, 디읃(디귿), 리을, 미음, 비읍, 시읏(시옷)'으로 쓰면 되겠어. 쓰이는 자리에 적절하게 자음과 모음이 어울리니 글자 이름 자체가 글자 사용법이 되는구나."

그다음 최세진은 자음과 모음의 차례도 다시 정리했다.

"자음은 첫소리와 끝소리에 모두 올 수 있는 글자들을 먼저 놓은 뒤 첫소리에만 쓰는 글자들을 놓아야겠어. 그리고 모음은 입을 벌린 순서에 따라 입을 벌려 소리 내는 글자를 앞쪽에, 입을 닫고 소리 내는 글자를 뒤쪽에 놓아야겠다."

최세진은 1527년에 한자에다 한글로 음과 뜻을 단 한자 학습서 『훈몽자회』를 펴내면서 한글 자음과 모음의 이름도 정리해 넣었다. 자음과 모음을 합리적으로 배열한 덕분에 사람들이 한글을 더욱더 쉽고 빠르게 배울 수 있었다.

미스터 중국인,
최세진을 만나다

미스터 중국인 니하오(안녕하십니까)? 저는 중국과 한국을 오가며 동시 통역
사로 일하는 중국인입니다.

최세진 저도 왕년에는 조선과 명나라를 오가며 동시 통역사로 일했지요. 어느
새 500년이란 시간이 지났지만요.

미스터 중국인 조선 시대 사람들 가운데 중국어를 가장 잘하셨다는 이야기를
들었습니다. 실력이 뛰어나 어려운 환경에서도 높은 벼슬을 하신 걸로 아는데,
그런 과정에서 양반들의 시샘도 많이 받으셨을 것 같아요.

최세진 사대부 양반들 중에는 저를 싫어하는 사람이 많았어요. 그래서 임금님
을 비방하는 투서를 쓴 범인으로 몰리기도 하고, 중인이라는 신분 때문에 벼
슬을 빼앗길 뻔한 적도 있어요. 하지만 중국어 번역과 통역, 외교 문서 작성을
저만큼 할 수 있는 사람이 없었어요. 다행히도 그런 점을 중종 임금님께서 인
정해 주고 많이 감싸 주셨지요.

미스터 중국인   선생님께서는 중국어뿐 아니라 한글 교육에도 열정이 많으셨지요? 저도 처음 한국어를 배울 때 한글 기본 음절표를 머리맡에 붙여 두었어요. 음절표 덕분에 자음과 모음도 쉽게 외우고 한글도 금방 배웠어요. 나중에 알게 되었지만 한글 기본 음절표를 만드신 분이 선생님이란 사실을 알고 놀랍고 감사했죠.

최세진   사용 빈도가 높은 자음부터 앞세워 놓았지요. 첫소리와 끝소리에 모두 올 수 있는 글자들을 먼저 배열하고 그다음에 첫소리에만 오는 글자들을 배열하는 식으로요. 모음의 경우 입 벌린 순서에 따라 배열하였는데, 수직 글자를 먼저, 수평 글자를 나중에 배열하였지요. 이렇게 하면 자음과 결합할 때 수직 글자는 가로로 배열되고, 수평 글자는 세로로 배열되어 리듬감을 타게 됩니다. 양성과 음성이 교차하여 자연스럽게 가락을 타게 되는 것이지요. 아마 이런 배열 덕분에 한글 공부가 쉬웠을 거예요.

미스터 중국인   중국어 번역이나 한글 교육을 하실 때 어려웠던 점이 있다면요?

최세진   연산군 시절이 떠오르는군요. 연산군을 비방하는 한글 투서가 발견되어 한글을 쓰지도 배우지도 못했던 때가 있었어요. 물론 한자를 한글로 번역하는 것도 금지했지요. 하지만 저는 굴하지 않고 여러 책을 번역해서 어린이와 백성들, 그리고 관리들과 나누었습니다.

미스터 중국인   열정이 대단하십니다. 목숨을 내놓고 번역 작업에 매달리셨군요. 제가 보기에 외국어를 잘하려면 우선 자기 나라 말과 글을 잘 알아야 한다고 생각해요.

최세진 맞습니다. 자기 나라 말과 글을 완전히 익힌 사람은 아무래도 외국어를 배우기도 쉽고 표현하기도 쉽지요. 외국어를 배우는 사람들한테 늘 말했어요. 외국어를 잘하려면 우리말과 글, 바로 한글을 먼저 공부해야 한다고요.

미스터 중국인 선생님께서는 요즘 같은 글로벌 세상에 태어나셨다면 무엇을 해 보고 싶으세요? 아무래도 중국어뿐 아니라 영어, 독일어, 일본어, 불어 등 못하는 외국어가 없으셨을 것 같은데, 역시나 많은 일을 하셨겠지요?

최세진 과찬이십니다. 요즘 학생들이 영어 공부를 무척이나 어려워하던데, 『훈몽자회』를 낸 것처럼 영어를 쉽게 배울 수 있는 책들을 펴내고 싶어요. 외국인에게 한글을 가르치며 한글을 널리 알리고도 싶고요.

미스터 중국인 제가 중국인이기는 하지만 선생님의 뜻을 제 나름대로 이어 보고 싶습니다.

최세진 그러신가요? 셰셰(고맙습니다). 응원하겠습니다.

● 『훈몽자회』 일러두기(범례)

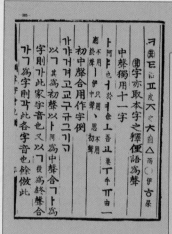

『훈몽자회』는 한자를 배울 때 썼던 책이다. 한자의 뜻과 소리를 한글로 적었으므로 한글 기본 학습을 일러두기로 실었다. 한글 자음 모음의 명칭과 기본 차례가 이 책에서 비롯되었다.

허균

1569~1618년

한글소설
인기상

"천하에 두려워할 바는 백성이다."

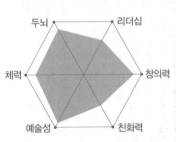

★ **특기**

시, 소설을
쓰는
글재주

현실
비판

★ **경력**
- 최초의 한글 소설 『홍길동전』 펴냄
- 우리나라 최초의 음식 평론서 『도문대작』 펴냄

★ **기타**
- 과단 · 직선적 · 자유분방
- 천재 시인 허난설헌의 동생
- 파면과 복직을 거듭한 파란만장 인생

홍길동을 꿈꾼
문제의 한글 소설 작가

✦ ✦ ✦

한글 소설로 세종 시대를 꿈꾸다

허균은 부제학을 지낸 아버지와 양반 출신 어머니 사이에서 태어났다. 그러니 마음만 먹으면 언제든 벼슬길에 오를 수 있는 사대부 양반이었다. 하지만 허균의 스승이나 친구들 중에는 양반과 평민이나 천민 사이에서 태어난 서얼 출신이 많았다.

"아버지를 아버지라 부르지 못하고 '나리'라고 불러야 한다니!"

서얼들은 사회에서만이 아니라 집안에서도 차별을 받았다. 양반들은 자신이 낳은 아들마저 차별하고 업신여겼던 것이다.

허균의 스승인 이달은 문학에 뛰어난 재주를 지녔지만 어머니가 천민인 서얼이었다.

"스승님, 이제 큰 뜻을 펼치실 때가 되지 않았습니까?"

"나는 서얼이라 과거조차 볼 수 없는 형편이니 그저 시나 지으며 살아가야 하지 않겠느냐."

"단지 서얼이라는 이유만으로 타고난 재주를 펼치기는커녕 온갖 차별을 받고 살아야 한다니요!"

이달은 마음껏 꿈을 펼치고 싶었지만 신분제 사회에서 설 자리가 없었다. 허균은 그런 스승의 처지를 보며 늘 안타까워했다. 그러다 보니 사람을 차별하는 현실에 불만이 많았다.

"이대로 가만히 있을 수는 없지. 반드시 부당한 현실을 알리고 바꿔 나가야 해."

허균은 고민 끝에 자신이 가장 잘할 수 있는 일을 찾았다. 그것은 바로 뛰어난 문장가답게 소설을 쓰는 것이었다.

"차별받는 서얼들을 소재로 하여 언문으로 소설을 써 보자!"

허균은 남몰래 집필에 매달렸다. 낮이고 밤이고 책상에 앉아 꼼짝 않고 소설을 써 내려갔다. 그러던 어느 날, 서얼 친구가 집으로 찾아왔다.

"자네가 우리 같은 서얼을 소재로 언문 소설을 쓰고 있다는 게 사실인가?"

친구의 물음에 허균은 목소리를 낮추어 말했다.

"이크, 이 사람아, 큰일 나겠네. 아직은 비밀이야."

친구도 허균을 따라 속삭였다.

"그런데 자네 같은 양반이 굳이 언문으로 쓸 필요가 있나? 한문으로 써야 양반들이 두루 읽고 깨달을 것 아닌가?"

"일리가 있네. 하지만 평민, 천민, 여성들이 못 읽는 소설을 쓰면 무슨 의미가 있나? 이 소설은 서얼을 위해서만 쓰는 것이 아닐세. 누구든 신분 때문에 차별받지 않는 세상을 바라며 쓰는 걸세. 굳이 이야기하자면 하층민을 위한 소설일세."

"그렇군. 미리 알려지면 큰일이니 비밀을 지킴세. 그런데 『초한지』처럼 중국을 배경으로 언문 소설을 쓰면 어떻겠나? 그럼 자네 의도를 불순하게 바라보지 않을 텐데 말이지."

"나도 그런 생각을 안 한 게 아니네. 하지만 이 소설이 무협지도 아니고 우리나라 모순을 꼬집는 것인데 중국을 배경으로 한다는 게 말이 되나? 시대 배경은 기가 막히게 멋진 때로 정했네."

허균이 짐짓 거드름을 피우며 말하자 친구는 안달이 났다.

"참으로 궁금하이. 어느 때인가?"

"하하. 세종 시대일세."

허균의 말에 친구의 목소리가 다시 높아졌다.

"아니, 가장 살기 좋은 세상을 만든 세종 임금님을 욕보일 셈인가?"

"그럴 리가 있나?"

"그럼 뭔가?"

"자네는 나와 절친한 사이면서 짐작이 안 가나? 언문, 즉 훈민정음을 누가 만들었나?"

친구는 그제야 허균의 마음속을 짐작하고 대답했다.

"소통을 위해 훈민정음을 만든 세종 임금님의 마음을 담은 것이로군.

세종 임금님이 만든 훈민정음으로 쓴 소설이 널리 읽혀 다시 한번 세종 시대처럼 되기를 바라는 마음에서 말이야."

"역시 내 친구구먼. 척하면 착이네."

두 친구는 암울한 현실을 잠시 잊고 한바탕 웃음을 터뜨렸다.

『홍길동전』으로 세상을 꾸짖다

허균은 서얼 출신 친구 일곱 명과 어울려 지내며 새로운 세상을 꿈꾸었다. 서얼 차별을 반대하는 상소를 올리기도 하고 당시 신분 제도에 맞서 싸우기로 뜻을 모으기도 했다.

그러던 어느 날, 일곱 친구가 역모로 누명을 쓰고 목숨을 잃는 안타까운 일이 벌어졌다. 바로 '칠서의 옥'이라 불리는 사건이었다. 허균은 친구들을 구하기 위해 갖은 노력을 다했지만 겨우 자신의 목숨만 건질 수 있었다.

"벗들에게 한없이 미안한 마음뿐이야. 내가 가진 건 글재주뿐이니 언문 소설을 하루빨리 완성해서 조금이나마 빚을 갚아야겠어."

허균은 서얼 출신 친구들을 그리워하며 소설 창작에 푹 빠져 지냈다. 주인공을 정하고 이야기의 가닥을 잡느라 자나 깨나 고민했다.

"그래, 배경은 세종 시대지만 인물은 연산군 때 이름난 도적이었던 홍길동을 주인공으로 삼자! 당시 백성들이 홍길동을 관아에 알리지 않은 것으로 보아 못된 양반들을 혼내 주고 어려운 백성들을 도와준 의적이었음이 틀림없어. 이러한 실제 인물을 바탕으로 이야기를 지으면 더

실감이 날 거야."

허균은 홍길동을 통해 일곱 친구의 한을 풀어 주고 잘못된 세상을 꾸짖고 싶었다. 홍길동이 큰 뜻을 품고 집을 떠나는 장면을 쓸 때는 가슴이 먹먹해서 주먹을 불끈 쥐었다.

그때 마침 홍 판서가 달빛을 구경하다가 길동이 서성거리는 것을 보고 즉시 불러서 물어보았다.

"네 무슨 흥이 있어 밤 깊도록 잠을 자지 않느냐?"

길동이 공손히 대답하였다.

"소인이 마침 달빛을 구경하고자 나왔습니다. 하오나, 하늘이 만물을 만들어 내실 때부터 오직 사람이 귀한 줄로 알고 있습니다만, 소인에게 이르러서는 귀함이 없사오니 어찌 소인 같은 자를 사람이라 하겠습니까."

홍 판서는 그 말의 뜻을 짐작하긴 했으나 짐짓 꾸짖으며 말했다.

"네가 무슨 말을 하는 것이냐?"

길동이 두 번 절하고 아뢰었다.

"소인이 평생 서러워하는 바가 있습니다. 대감의 정기를 받아 당당한 남자로 태어났으니, 소인을 낳아 길러 주신 부모님의 은혜가 너무나 깊습니다. 그런데도 아버지를 아버지라 못 하옵고 형을 형이라 못 하오니, 어찌 사람이라 하겠습니까."

　허균의 소설 속 홍길동은 서얼 출신으로 태어나 도적의 우두머리가 되었다. 자신을 닮은 허수아비 일곱 개를 만들어 나라 곳곳을 돌아다니며 동에 번쩍 서에 번쩍 나타나 탐관오리들을 혼내 주고 못된 양반의 재물을 빼앗아 가난한 백성들에게 나누어 주었다.

　허균의 바람대로 『홍길동전』은 세상에 나온 뒤 많은 사람들에게 읽히며 사랑받는 소설이 되었다. 한글로 썼기에 쉽게 읽히고 빠르게 퍼져 나갈 수 있었던 것이다.

　한글을 아는 사람들이면 누구나 『홍길동전』을 구해 읽었다.

　"『홍길동전』이 그렇게 재미있다는데, 자네는 다 읽었는가?"

　"암, 읽고말고. 『홍길동전』을 읽고 10년 묵은 체증이 내려간 듯 속이 뻥 뚫렸다네."

　"그럼 나 좀 빌려주게나. 언문 소설이니 나도 읽고 아이들도 읽혀야겠군."

한글을 잘 모르는 사람들은 책을 읽어 주는 전기수가 오기만을 목 빠지게 기다렸다.

"오늘은 장 구경도 하고 『홍길동전』 읽어 주는 것도 들으러 가세."

"전기수 할아버지가 이번 장날에는 우리의 영웅 홍길동 이야기를 읽어 준다 했지?"

한글 소설 낭독을 듣는 사람들 대부분은 평민들이라 길동의 처지를 십분 이해하고도 남았다. 사람들은 재미있고 감동적인 한글 소설을 읽고 들으며 한글에 더 관심을 갖게 되었다.

소설가 김만중이
허균을 만나다

김만중 최초의 한글 소설을 쓰신 허균 선생님을 꼭 한번 만나 뵙고 싶었습니다. 당시 선생님께서는 『홍길동전』으로 조선을 발칵 뒤집어 놓으셨지요.

허균 내가 오래 살았다면 만중이 자네 같은 뛰어난 소설가와 한 시대를 살 수 있었을 텐데 말이야. 광해군 시절 폭정에 항거하다 참형까지 받고 말았네그려.

김만중 선생님과 저는 불의를 참지 못하는 점까지도 닮은 것 같아요. 저도 숙종 임금님 시절 진실을 부르짖다 유배를 세 번이나 가야 했지요. 말년에 유배지에서 쓸쓸하게 죽음을 맞이해야 했고요.

허균 그래도 후회는 없다네. 다시 태어나도 그리 살았을 걸세. 우리에겐 문학이 있지 않은가. 소설로 하고 싶은 이야기를 다 했으니 말이야.

김만중 선생님 작품들을 읽으며 공부를 했지요. 특히 『홍길동전』을 읽으면서 선생님이 천재라고 생각했어요. 홍길동이라는 인물 자체도 매력적이지만 소설에 등장하는 환상적인 장면도 기가 막혔어요. 그러고 보니 선생님의 누님이

신 허난설헌 선생님도 천재 시인이셨잖아요.

허균 양반가의 여성들에게조차 글을 가르치지 않았던 당시 사회 모습을 생각하면, 누님이 정말 대단하셨지. 누님은 어릴 적부터 시를 짓고 그림을 그리는 걸 좋아하셨다네. 가부장적인 가문에 어린 나이로 시집가서 어린 자식을 잃고 힘든 나날을 보내지만 않았어도 그렇게 빨리 세상을 떠나지 않으셨을 걸세.

김만중 그래도 선생님께서 누님의 시 200여 편을 모아 『난설헌 문집』을 펴내셔서 지금까지 전해지니 고맙고 다행입니다. 다시 『홍길동전』 이야기를 하자면, 선생님의 삶과 소설이 참 많이 닮았다는 생각이 들어요.

허균 하하. 그런가? 내가 평소 호기심이 많고 사람을 좋아했지. 정말 내 소설에서도 그런 면이 드러나는가?

김만중 네, 선생님은 힘세고 돈 많은 사람이 아닌 가난한 백성들, 사회에서 업신여기는 사람들, 벼슬에서 밀려난 사람들을 좋아하셨지요. 그래서 주변에 서얼 출신 친구분이 많았던 거고요. 소설 속 홍길동도 선생님처럼 정이 많아 어려운 사람들을 돕잖아요.

허균 듣고 보니 그런 것도 같구먼. 그래서 사람들이 나를 서얼 출신으로 오해를 많이 하나 보네. 나는 서얼은 아니지만 사대부 양반들한테 미움을 많이 받았어. 서얼을 소재로 소설을 써서 양반들을 혼내고 그들이 싫어하는, 하층민들이나 읽는 한글로 소설을 쓰니까 좋아할 리가 없었지.

김만중 제가 소설을 쓰던 때는 그래도 시대가 나았죠. 양반들 중에도 한글을 쓰는 사람이 많았고 왕실에서도 한글로 편지를 주고받았으니까요. 그러고 보면 이게 다 선생님 덕분입니다.

허균 한글은 지배층이 만든 글자였는데도 당시 양반들은 한글을 내내 깔보았지. 그래서 한글이 저절로 민중의 글자로 자리 잡게 되고, 그런 한글로 쓰인 『홍길동전』이 인기를 누리게 된 거지.

김만중 네, 『홍길동전』은 최고의 작품으로 영원히 우리 가슴에 살아 있지요. 선생님은 비록 민중 혁명을 이루지 못하고 떠나셨지만 시대를 뛰어넘는 더 큰 혁명을 이루셨어요.

허균 오늘은 자네한테 과분한 칭찬을 많이 받아 쑥스럽기는 하지만 밥을 안 먹어도 배가 부르겠구먼. 조만간 다시 만나 자네 이야기도 좀 듣고 싶네.

김만중 네, 다시 뵙겠습니다.

● 『홍길동전』의 표지와 본문

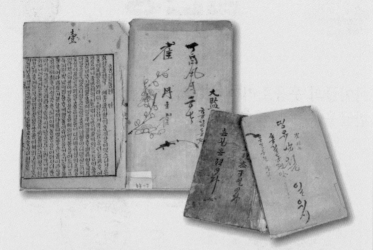

『홍길동전』은 우리나라 최초의 한글 소설로, 조선 시대 신분 차별의 문제점 등 당대 현실을 비판한 작품이다. 양반 사회를 비판한 박지원의 「양반전」이 양반 사회의 최대 모순인 한문으로 쓰여 있는데 반해 『홍길동전』은 양반 권력을 해체하는 한글로 쓰여 더욱 가치가 있다.

06

김만중

1637~1692년

한글소설
빛냄상

"아이들의 웃음소리까지도 맘껏 적을 수 있는
한글을 으뜸 나랏글로 삼아 주소서."

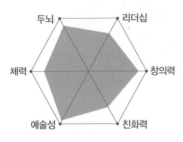

두뇌 · 리더십 · 창의력 · 친화력 · 예술성 · 체력

★ 특기

적절한
구어체
사용

재미난
이야기
만들기

★ 경력
- 한글 소설 『구운몽』과 『사씨남정기』 펴냄
- 평론집 『서포만필』 펴냄
- 한글 문학을 통해 효와 충을 실현

★ 기타
- 피란 가던 배 위에서 응애응애 첫 울음
- 책을 좋아하는 어머니로부터 남다른 가정 교육을 받음

한글 문학을
진정한 문학으로 여긴 특별한 양반

✦ ✦ ✦

한글 소설로 효를 실천하다

김만중은 쉰한 살이던 1687년에 평안도 선천으로 유배를 가야 했다. 숙종의 총애를 한 몸에 받던 희빈 장씨의 잘못을 숙종에게 이야기해서 미움을 받았기 때문이다. 그러한 상황에서도 김만중의 효심은 지극했다. 김만중은 언제 어디서든 어머니를 기쁘게 해 드릴 방법을 고심했다.

유배지에서 어머니 윤씨의 생일을 맞은 날에는 홀로 어머니를 떠올리며 시를 읊조렸다.

"어머니께서 아들을 그리며 눈물 흘리실 것을 생각하니, 하나는 죽어 이별이요, 하나는 생이별이로다."

김만중은 어머니를 그리워하다 문득 어머니가 어릴 적 자신에게 한글 소설을 읽어 주던 모습이 생각났다.

"옳거니, 내가 직접 언문으로 소설을 지어 어머니께 올리자."

김만중은 어머니 윤씨를 위해 한글 소설 『구운몽』을 짓기 시작했다. 완성된 후에 사람 편에 소설 한 꾸러미를 들려 어머니에게 보내 드렸다.

윤씨 부인은 멀리 유배 가 있는 아들에게서 편지가 왔다는 말에 버선 발로 달려 나갔다. 윤씨 부인이 편지를 가져온 하인에게 물었다.

"어찌 편지가 이리 두툼하단 말인가?"

"소인이 어찌 편지 속까지 알겠사옵니까?"

"허허, 그렇지. 내가 얼른 뜯어보겠네. 고생 많았으니 요기나 하고 가게."

윤씨 부인은 먼 길을 달려온 하인을 챙기고는 서둘러 몸종을 불렀다.

"언년아, 어서 와 이 편지 좀 보거라."

언년이가 재빨리 달려와 대답했다.

"예, 예."

윤씨 부인은 한글을 잘 알았지만 눈이 침침해서 한글을 아는 언년이에게 편지를 읽혔다.

"어머니께서 적적하실 듯하여 재미있는 소설을 한 편 지어 올려 보내셨답니다."

이내 언년이는 편지 속 『구운몽』을 구성지게 읽기 시작했다.

"천하에 이름난 산이 다섯 있으니 …… 진나라 때 선녀 위 부인이 …… 성진이라는 자는 얼굴이 백석 같고 정신이 가을 물같이 맑아서 …… 팔선녀를 보내어 대사 안부를 묻고, 겸하여 하늘 꽃과 신선의 과실과 칠보 문금으로 구구한 정을 이루게 하나이다."

어느새 윤씨의 눈가에는 이슬이 촉촉하게 맺혔다. 귀양 가 있는 아들의 처지가 자신의 처지인 것처럼 가슴이 아려 왔다. 마침 그때 이웃집 아낙이 식혜를 한 동이 가지고 왔다. 시집보내는 딸에게 언문을 가르쳐 주고 싶어 윤씨 부인에게 언문을 배우는 아낙이었다.

"할머니, 또 아드님을 생각했구려. 이 시원한 식혜 한잔하시고 마음 푸세요. 언젠가는 귀양에서 풀려나겠죠."

아낙이 윤씨 부인을 달래며 말했다.

"오늘은 특별한 날이야. 아들이 날 위해 재미있는 이야기를 보내 주었거든. 마침 잘 왔어. 언년이와 교대로 함께 읽어 보면 좋겠네."

윤씨 부인의 말에 아낙이 마루에 올라앉았다.

"어이쿠, 애들 아빠가 죽은 뒤로 옛이야기책 읽는 재미로 사는데 잘되었어요. '구운몽'이라니 무슨 꿈 이야기인가 봐요."

"맞아. 아들이 편지에 제목을 설명해 놓았네. '한 남자와 여덟 여자가 꿈속에서 부귀영화를 누렸으나 깨어 보니 부질없는 일'이라는 내용이라더군. 언년아, 네가 읽은 데까지 줄거리를 들려드리렴."

"네. 주인공 이름은 성진이고요, 성진이 육관 대사 심부름으로 용궁에 갔다가 술 한잔 걸치고 오다 팔선녀를 만난 데까지 읽었어요."

언년이의 설명을 들은 뒤 아낙이 말했다.

"그랬구나. 내가 이어 읽을 테니 그다음은 언년이가 읽으렴."

언년이와 아낙이 서로 번갈아 가며 『구운몽』을 읽어 내려갔다. 소설을 듣는 동안 윤씨 부인의 마음도 평온해졌다.

소설 읽기는 반나절쯤 지나자 끝이 났다. 아낙이 식혜를 한 사발 들이

켜며 말했다.

"너무 재미있어 시간 가는 줄도 몰랐구먼요. 김만중 대감은 속도 깊으셔라. 어쩜 이런 소설을 어머니를 위해 지었을꼬. 내일은 며느리를 불러다 필사를 시켜야겠어요."

"정말 인생은 덧없소. 전쟁 중에 만중이를 낳고 아등바등 키우던 때가 어제 같은데……"

윤씨 부인의 눈가에 다시 이슬이 맺혔다.

"맞아요. 다 일장춘몽 덧없는 일이에요. 이제 아드님 걱정은 마시고 편하게 지내세요."

아낙의 말에도 윤씨 부인은 아들 걱정에 그저 한숨만 내쉴 뿐이었다.

한글 소설로 임금의 잘못을 꾸짖다

김만중은 이듬해 유배에서 풀려났다. 하지만 얼마 지나지 않아 다시 남해로 유배를 가야만 했다. 김만중은 유배지에서도 나라 걱정에 잠을 이루지 못했다.

"큰일이로다. 임금이 바로 서야 나라가 바로 설 텐데. 전하께서 듣지도 보지도 못하시니 아무리 진실을 말해 봤자 소용이 없구나."

숙종은 결국 후궁 장희빈의 모함에 속아 중전 민씨를 내쫓고 장희빈을 중전으로 맞아들였다.

김만중이 유배를 간 후 그 자손들마저 제주와 거제로 유배를 가게 되었다. 김만중의 어머니 윤씨 부인은 충격을 받아 그해 겨울에 세상을 떠나고 말았다.

"진실은 반드시 밝혀지리라. 내가 언문으로 소설을 써서 온 천하에 알리면 전하께서도 깨달으시는 바가 있겠지."

김만중은 숙종의 잘못을 일깨우기 위해 한글 소설 『사씨남정기』를 써 내려갔다. 어머니뿐 아니라 나라와 임금을 위해서도 한글 소설을 쓴 것이다. 김만중은 소설에서 숙종을 중국의 고위 관리 유연수에, 인현 왕후를 사씨에, 희빈 장씨를 교씨에 빗대 인현 왕후가 얼마나 억울한 누명을 쓰고 쫓겨났는지를 실감 나는 이야기로 꾸몄다.

인현 왕후가 폐위되어 옛집에서 고단한 나날을 보낼 때 『사씨남정기』는 사람들의 입에서 입으로 전해졌다.

그러던 어느 봄날, 두 처녀가 개울가에서 빨래를 하며 이야기를 나누었다.

"막금아, 너 『사씨남정기』 읽어 봤니?"

"아니. 읽지는 못했는데 금란이한테 얘기는 들었어. 소설에 나오는 사씨가 인현 왕후 마마래."

막금이의 말에 간난이가 맞장구를 쳤다.

"어쩜 그럴 수가 있지. 그렇게 억울한 누명을 쓰면 난 하루도 못 살 거야."

"막금이 너는 언문 읽을 줄 알지? 우리 집에 필사본이 있는데 나한테 좀 읽어 줄래?"

"그렇지 않아도 읽고 싶었는데, 내일 점심 먹고 우리 집으로 놀러 와. 내가 재미나게 읽어 줄게."

다음 날 간난이는 『사씨남정기』 필사본을 가지고 막금이네 집으로 갔다.

"어서 와. 내가 소설 읽어 줄 테니 잘 들으렴."

막금이는 간난이가 가져온 『사씨남정기』 필사본을 읽기 시작했다. 유연수가 나오는 대목에서는 목소리까지 굵게 바꿔서 마치 남자가 된 듯 읽었다. 사씨가 교씨에게 당하는 대목에서는 두 사람 모두 가슴을 치며 억울해했다.

막금이는 소설 속 두 부인이 사씨에게 이야기하는 대목에서는 마치 간난이가 사씨인 양 엄하게 다짐을 놓았다.

"속담에 이르기를 한 말에 두 안장이 없고 한 밥그릇에 두 술이 없다 하더라. 지금 시속이 예전과 다르고, 성인이 아닌 범인으로서 어찌 투기가 생기지 않으리라고 장담하랴. 공연히 옛날의 미명을 사모하여 화근의 씨를 뿌리지 않도록 함이 좋다."

김만중의 소설은 한문 투로 쓰이지 않고 속담이나 격언을 적절히 이용해 말하듯 쓰여서 누구나 읽기 편했다. 그냥 한글로만 쓴 소설이 아니라 진정한 우리말을 살려 쓴 소설이었다.

가상 인터뷰

소설가 허균이
김만중을 만나다

허균 잘 지냈는가? 오늘은 지난번 못다 한 이야기를 나누도록 하세.

김만중 다시 만나니 반갑습니다. 선생님과는 밤새워 문학 이야기, 살아온 이야기를 나눠도 시간이 모자랄 것 같아요.

허균 허허. 그나저나 인현 왕후께서 폐위된 사건으로 자네가 유배까지 가게되었는데, 인현 왕후께서 복위되는 것을 보지 못하고 세상을 떠나 안타까웠네.

김만중 그뿐만 아니라 어머니께서 저 때문에 돌아가셨는데, 유배된 몸이라 가보지도 못했지요. 하루하루 애통해하며 울부짖다 결국 병이 되었습니다.

허균 자네가 지은 평론집 『서포만필』을 보며 자네가 얼마나 올곧은 정치가이며, 지극한 효자이며, 철학가와 문학가인지 잘 알 수 있었네.

김만중 제가 자존심이 센 편이라 인정하는 작품이 별로 없는데, 당시 소설은 허균, 시는 정철이라 생각했지요. 정철 선생님의 작품 중에는 「관동별곡」, 「사미인곡」,「속미인곡」을 좋아해요. 『서포만필』에도 써 놓았지만 정철 선생님의 작품은 한글로 적었기에 사람들의 입에서 입으로 전해 올 수 있었으니까요. 비록 제아무리 뛰어나고 유식한 자의 문학이라 해도 다른 나라 말로 시문을 지었다면, 나무하는 아이와 물 긷는 아낙네의 흥얼거림만 못하다 생각했어요.

허균 나도 그래서 정철 선생의 작품들을 좋아하지. 그래도 김만중 자네가 한글 소설, 한글 문학의 선구자일세. 조선 시대 뛰어난 문학가들이 자네의 말만 귀담아들었어도 한글로 된 훌륭한 작품을 남겼을 텐데 말이야.

김만중 제가 소설가가 된 것은 다 저희 어머니 덕분이에요. 두어 살 때였을까요. 제가 울면 어머니는 한글로 옮겨 놓은 책들을 읽어 주셨대요. 신기하게도 어머니께서 책을 읽어 주시면 제가 울음을 그치고 방긋방긋 웃었다지 뭐예요.

허균 어머니가 하는 대로 자식들이 배우니, 아무래도 어머니의 영향이 크지.

김만중 맞아요. 저희 아버지는 병자호란이 끝날 무렵 돌아가셨어요. 저는 그때 어머니 배 속에 있었고요. 어머니 혼자서 자식들을 길러야 했으니 고생 많으셨지요. 아비 없는 자식이라고 놀림을 당할까 봐 엄하게 가르치셨지만 한없이 따뜻한 분이셨어요. 어머니는 특히 책을 좋아하셨어요. 옛날 기이한 책들을 얻어 와서 틈만 나면 들려주셨지요.

허균 생생한 이야기에서 오는 재미와 감동은 그 무엇과도 바꿀 수 없는 것이지. 우리가 쓴 한글 소설들이 오래오래 전해져 반드시 한글로만 소설을 쓰고 시를 쓰는 날이 올 거라 믿네.

김만중 네, 한글만으로 문학을 하는 날이 어서 왔으면 좋겠습니다.

07

장계향

1598~1680년

한글요리
조리상

"남이 모두 없는데 홀로 많이
가진 재물은 재앙일 뿐이다."

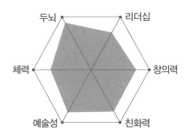

두뇌 / 리더십 / 창의력 / 친화력 / 예술성 / 체력

★ 특기

 시, 글씨, 그림

 근검 절약

 안동 가정식 요리

★ 경력
– 최초의 한글 요리책 『음식 디미방』을 펴냄
– 흉년에 민생 구제를 위해 앞장섬

★ 기타
– 암산 알파고
– 조선 시대를 통틀어 유일하게 군자로 불린 여성

한글 요리책으로
사람을 살린 살림의 고수

✦ ✦ ✦

한글 요리책 『음식 디미방』을 펴내다

1600년대 후반은 숙종이 나라를 잘 다스려 다른 시절보다 백성들이 풍족하게 살았다. 그렇다 해도 가뭄과 물난리는 하늘의 뜻이라 피해 갈 수 없었다. 그럴 때면 많은 백성들이 굶주림에 시달렸다.

그 시절 경상북도 안동에 장계향이라는 부인이 살았다. 장씨 부인은 어릴 적부터 한글로 글 짓는 것을 좋아했으며 글재주가 남달리 뛰어났다. 열아홉 살에 성리학자인 아버지 장흥효가 아끼던 제자 이시명에게 시집을 가서 인자하고 지혜로운 아내와 어머니로 살았다.

장씨 부인은 보릿고개가 닥치면 자신도 넉넉하지 않으면서 가난한 이웃들에게 쌀을 퍼 주었다.

"하루에 한 끼도 못 먹으면 어찌 사누? 이거 가져다 죽이라도 끓여 애들이랑 나눠 먹게."

장씨 부인은 먹을 것이 없어서 끼니를 때우지 못하는 이웃들을 한없이 불쌍히 여겼다.

하루는 이웃집 아낙이 숭어 한 마리를 들고 장씨 부인을 찾아왔다.

"마님, 애 아빠가 숭어를 잡아 왔는데 이걸 어찌 먹어야 할깝쇼?"

장씨 부인은 음식 재료가 생겨도 사람들이 제대로 요리를 하지 못해 재료를 버리는 것을 보며 안타까워했다.

"싱싱한 숭어로 음식을 만들지 못하면 그림의 떡이나 다름없지. 숭어로 만두를 만들면 온 식구가 몇 끼를 맛있게 먹을 수 있다네. 우선 숭어를 얇게 저미며 가볍게 칼집을 넣게."

"그러고요, 마님."

"기름지고 연한 고기를 익혀 잘게 두드린 다음 두부, 생강, 후추를 섞어 기름간장에 오래 볶아 만두소를 만드는 거야."

아낙은 평소 한글을 배웠던 터라 숯을 들고 자신의 치마에다 장씨 부인의 말을 옮겨 적었다. 장씨 부인은 그런 모습을 보며 흐뭇해했다.

"볶은 재료를 저민 숭어 위에 놓고 잘 싸서 단단히 말아 허리가 구부정하게 만두 모양을 만들게. 그다음 녹말가루를 만두에 묻히고 새우젓국을 싱겁게 타서 푹 끓인 뒤 대여섯 개씩 대접에 뜨고 파를 곁들여 내게."

"고맙습니다, 마님. 말씀대로 맛있게 만들어 한 그릇 올리겠습니다요."

아낙은 장씨 부인에게 연거푸 큰절을 올리고 집으로 돌아갔다.

또 하루는 장씨 부인이 동네를 산책하는데 젊은 새댁이 음식을 못해

시어머니에게 구박을 당하고 있었다.

"너는 어찌 여자가 돼 가지고 반찬 하나 제대로 만들지 못하느냐?"

"죄송해요, 어머니. 어린 나이에 시집을 와서 음식 만드는 법을 배울 시간이 없었어요."

그 모습을 보고 장씨 부인이 혼잣말로 중얼거렸다.

"옳거니! 언문으로 요리책을 펴내야겠구나. 언문을 아는 여성이라면 책만 봐도 쉽게 음식을 만들 수 있을 거야."

장씨 부인은 집으로 돌아가자마자 종이를 펼치고 붓을 들었다.

"음식의 맛을 알아야 만들 줄도 알지. 그렇다면 책 이름을 음식의 맛을 아는 방법이란 뜻으로 '음식 디미방'이라고 붙여야겠구나."

장씨 부인은 일흔이 넘은 나이였지만 한글 요리책 『음식 디미방』을 펴내기 위해 날마다 촛불을 밝혔다.

생활 요리의 달인이 한글로 빛나다

1672년경 『음식 디미방』이 완성될 무렵이었다. 어느 날 장씨 부인은 부엌 앞을 지나다 딸과 며느리가 나누는 이야기를 들었다.

"언니, 장 대감네는 오일장만 되면 온갖 재료를 사다가 요리를 한대요."

딸은 입까지 삐죽이며 며느리에게 말을 건넸다.

"그러게요. 장날 그 집 앞을 지나면 어찌나 맛있는 냄새가 솔솔 나는지. 우리 집은 흔해 빠진 재료밖에 없으니 요리를 해도 맛이 안 나요."

며느리도 푸념하듯 속마음을 이야기했다.

"어머니가 해 주시는 음식은 맛있는데, 제가 혼자 할 때는 영 맛이 안 나요. 그렇다고 나이 든 어머니한테 일일이 물어볼 수도 없고요."

"저도 그래요. 그나저나 내일이 아버님 생신인데 잡채를 어떻게 만들어야 할지 걱정이에요."

그 이야기에 장씨 부인은 한달음에 요리책 일부를 가져와 딸과 며느리에게 보여 주었다.

딸과 며느리는 『음식 디미방』의 잡채 만드는 법을 보고는 눈이 휘둥그레졌다. 그러고는 누구랄 것도 없이 입을 맞춰 말했다.

"와아, 어머니. 이대로 따라 하면 되겠어요."

"그래. 같은 재료라도 어떻게 만드느냐에 따라 차이가 큰 법이지."

장씨 부인의 말에 며느리가 예의바르게 대답했다.

"네, 어머님. 앞으로는 재료 탓을 하지 않고 어머님이 가르쳐 주신 요리법대로 음식을 만들어 먹어야겠어요."

"이 늙은이가 어두운 눈으로 간신히 써냈는데, 너희들이 반겨 주니 기쁘기 그지없구나. 그동안 내가 만든 음식의 요리법을 한글로 적은 것이 이렇게 요긴하게 쓰일 줄 몰랐어."

딸이 장씨 부인 곁으로 바짝 다가와 애교 섞인 목소리로 말했다.

"어머니께서 개발하신 음식 요리법도, 예로부터 전해 내려오는 음식 요리법도 자세히 적어 놓으셔서 따라 하기가 좋아요. 이 책은 저한테 물려주실 거죠?"

"내가 책에도 적어 놓았다만, 딸자식들은 각각 베껴 갈 순 있어도 이 책을 가져갈 생각일랑 하지 마라. 부디 상하지 않게 간수하여야 하느니라."

그 뒤 후손들은 장씨 부인의 말을 잘 새겨 대대로 볼 수 있도록『음식디미방』의 원본을 잘 보관하고 필요할 때는 베껴서 서로 돌려 봤다.

요리사 이요리가
장계향을 만나다

이요리 장계향 선생님, 이렇게 뵙게 되어 영광입니다. 저는 요리계의 샛별 이요리입니다. 곧 열릴 세계 요리 대회에서 한국의 전통 요리를 선보이고 싶어서 선생님을 찾아뵈었어요.

장계향 아, 그랬군요. 요즘 먹방이 유행이라 텔레비전만 켜면 음식, 요리 프로그램들이 쏟아져 나온다면서요. 예나 지금이나 젊은 사람들은 먹는 건 좋아해도 만드는 건 서투르던데 직접 요리를 한다니 참 훌륭하군요.

이요리 제가 요리를 시작한 것도 다 선생님 덕분이에요. 우연히 『음식 디미방』을 보고 크게 감명을 받았거든요. 선생님께서 소개하신 음식들 중에는 맛보지 못한 음식도 많았는데요, 하나씩 따라 하다 보니 실력이 부쩍 늘었어요.

장계향 『음식 디미방』에는 1600년대 조선 시대 경상도 양반집에서 만들어 먹었던 음식 요리법과 저장 발효 식품을 만드는 법, 식품 보관법 등을 적어 놓았어요. 비록 양반집의 요리 위주이긴 해도 토속 재료들이 쓰여 누구나 따라 할 수 있었지요.

이요리 국수, 만두, 떡 등의 음식을 비롯해 고기와 생선, 채소 등 146가지의 다양한 음식을 자세하게 소개하셨더라고요.

장계향 네, 맞아요. 요리 방법을 말하듯 쓰려고 노력했어요. 그래야 실생활에서 보고 써먹기가 쉽잖아요. 만약 한글이 없었다면 요리책을 써낼 수도 없었을 거예요. 한글만큼 말을 그대로 표현할 수 있는 글자는 없으니까요.

이요리 그러고 보니 『음식 디미방』을 읽으면서 우리말이 참 예쁘다고 생각했어요. 찰랑찰랑, 질벅질벅과 같이 의성어와 의태어가 많이 쓰였잖아요. 이 모든 걸 한자로 표현해야 했다면 쓰는 사람도, 읽는 사람도 엄청 괴로웠을 것 같아요.

장계향 괴로운 정도가 아니라 아예 쓰지도 못하고 뜻도 통하지 않았을 거예요. 그나저나 이번 요리 대회에서 무슨 요리들을 만들지 궁금하군요.

이요리 『음식 디미방』에 있는 메밀만두와 가지 누르미를 만들고, 고기 요리를 한 가지 곁들이려고요. 만두는 세계 여러 나라 사람들이 좋아하는 음식이기도 하고, 메밀과 가지는 쉽게 구할 수 있으면서도 독특한 맛이 나는 재료라서요. 그런데 아직 고기를 다루는 게 쉽지 않아요. 고기 요리를 할 때 주의할 점을 알려 주실 수 있을까요?

장계향 책에 쇠고기 삶는 법을 적어 두긴 했지만, 다시 한번 설명해 줄게요. 우선 센 불에 물을 끓이다가 고기를 조심스럽게 넣어요. 그러고 나서 약한 불로 줄여 달여야 해요. 고기를 처음부터 찬물에 넣고 끓이다 보면 육즙이 다 빠져나와 질겨지거든요.

이요리 아하! 그렇군요. 선생님 말씀 잘 기억해서 정성 가득한 요리들을 만들어 볼게요. 그리고 선생님께서 배고픈 사람들과 함께 음식을 나누고 의지할 곳 없는 사람들을 돌보며 고아를 데려다 가르치신 것처럼, 앞으로 저도 훌륭한 요리사가 되어 나눔을 실천하고 싶어요.

장계향 마음이 고우니 틀림없이 솜씨도 좋을 거예요. 꼭 꿈을 이루리라 믿어요. 세계 요리 대회에 나가 우리나라의 전통 요리를 널리 알리는 계기가 되면 좋겠어요.

● 『음식 디미방』에 실린 메밀로 균만두 만드는 법

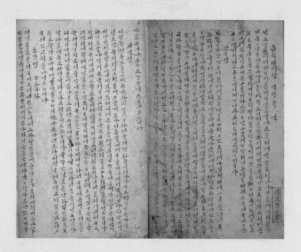

이 부분의 내용을 현대어로 옮기면 다음과 같다.

메밀가루 장만하기를 마치 깔끔한 면가루같이 가는 모시나 비단 체에 내려 그 가루를 덜어 풀을 쑤되 율무죽같이 쑤어 그 풀을 눅게 반죽하여 개암열매 크기로 떼어 빚는다. 만두소 장만하기는 무를 가장 무르게 삶아 알갱이 없이 다져 꿩고기의 무른 살을 찢어 간장기름에 볶아 흰 잣과 후추와 천초 가루로 양념한 뒤 넣어 빚는다. 삶을 때 놋쇠 솥에 알맞게 넣어 한 사람이 먹을 만큼씩 삶아 초간장에 생강즙을 넣어 먹는다. 꿩고기가 없거든 소고기의 힘줄 없는 살을 간장기름에 익혀 다져 넣어도 좋다. 소고기를 안 익혀 다지면 한데 엉기어 못 쓰게 된다. 만두에 녹두 가루를 넣으면 좋지 않다. 소만두는 무를 그렇게 삶아 표고·송이·석이버섯을 잘게 다져 기름을 넉넉히 두르고 흰 잣을 두드려 간장에 볶아 넣어도 좋다. 밀가루를 곱게 상화 가루같이 찧어 메밀 만두소같이 장만하여 초간장 생강즙을 넣으면 좋다. 생강이 없으면 마늘도 좋은데 마늘은 냄새가 나서 생강만 못하다.

08

정조
1752~1800년

한글편지
사랑상

"백성들에게 알리는 글은
한글로도 꼭 쓰게 하라."

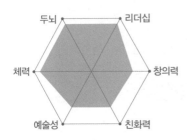

★ **특기**

한글
편지
쓰기

탁월한
어휘
선정

무예
무술

★ **경력**
– 윤음 등 중요한 문서를 한글로 남김
– 한글로 『오륜행실도』, 『무예도보통지언해』를 펴냄

★ **기타**
– 비극의 주인공 사도 세자 아들
– 책과 술을 좋아한 인간적인 왕
– 현대에 살았으면 문서에 'ㅋㅋ' 썼을지도

애정도 걱정도
한글 편지에 담은 편지 애호가

✦ ✦ ✦

어린 시절부터 한글로 편지를 쓰다

정조는 한글 실력이 뛰어났던 어머니 혜경궁 홍씨 덕에 한글을 일찍
깨쳤다. 혜경궁 홍씨는 시간이 날 때마다 정조를 곁에 앉혀 놓고 한글로
된 이야기책들을 읽어 주었다.

"어마마마, 오늘은 어떤 이야기를 읽어 주실 건가요?"

"눈먼 아비를 위해 인당수에 몸을 던진 효녀 심청 이야기를 읽어 주마."

"벌써부터 가슴이 아파요. 저도 효녀 심청이처럼 어마마마께 효도하
는 아들이 되고 싶어요."

혜경궁 홍씨는 흐뭇하게 어린 정조를 바라보며 『심청전』을 읽어 내려
갔다. 어린 정조는 어머니가 읽어 주는 한글 소설에 푹 빠져 귀를 쫑긋
세우고 들었다. 혜경궁 홍씨가 바쁠 때는 혼자서 한글 소설책을 펼쳐 들

고 읽기도 했다. 그렇게 한 자 한 자 읽으며 이야기를 따라가다 보니 저절로 한글을 익히게 되었다. 그래서 궁궐 밖의 친인척들과도 곧잘 한글 편지를 주고받았다.

어느 날 어린 정조는 외숙모인 여흥 민씨에게 편지를 받았다. 여흥 민씨는 정조의 외삼촌 홍낙인의 부인으로 남편을 일찍 여의고 홀로 외롭게 지냈다. 그래서 어린 정조가 외갓집에 놀러 갈 때면 영특하고 정이 많은 조카를 특별히 예뻐하고 귀하게 여겼다.

"외숙모 편지를 읽고 있으니 외숙모와 외할아버지가 보고 싶구나."

어린 정조는 외숙모의 편지를 읽고 난 뒤 그리운 마음을 담아 곧장 답장을 썼다. 한글 실력 못지않게 한문 실력도 뛰어났지만 외숙모에게 보내는 편지인 만큼 한글로 답장을 썼다. 당시 왕족이나 사대부 집안의 여성들은 주로 한글로 편지를 주고받았기 때문이다.

 숙모님께

가을바람에 몸과 마음이 평안하신지 안부를 여쭙습니다.
뵌 지 오래되어 섭섭하고 그리웠는데,
어제 편지를 받고 든든하고 반가우며
할아버님께서도 평안하시다고 하오니 기쁘옵니다.

원손 올림

정조는 대여섯 살밖에 안 된 어린아이였지만 편지 격식을 차려 웃어른에게 안부를 물을 만큼 의젓하고 섬세했다. 그리고 어린 시절부터 한글 책들을 읽고 한글로 편지를 쓰면서 자연스럽게 한글을 사용했다. 왕위에 오른 뒤에도 임금이 신하나 백성들에게 전하는 말인 윤음을 한문과 함께 한글로 적어 내렸다.

"백성들이 보는 글인 만큼 언문으로 써서 내리는 게 옳지. 그것이 세종 임금님께서 훈민정음을 만드신 뜻을 실천하는 일일 테고."

정조는 윤음과 같은 중요한 문서를 한글로 남겨 한글이 발전하는 데 중요한 역할을 했다. 또한 세종이『삼강행실도』를 펴내 백성들을 깨우쳤던 것처럼『오륜행실도』를 한글로 펴내 세종의 뜻을 이었다.

무예책을 한글로 펴내다

정조는 1762년 열한 살 때 눈앞에서 아버지 사도 세자가 뒤주에 갇혀 죽는 모습을 보는 비극을 겪었다. 이를 주도한 세력은 훗날 정조의 보복이 두려워 정조를 음해하거나 해치기 위해 늘 혈안이 되어 있었다. 그런 상황에서 어머니 혜경궁 홍씨는 어린 정조를 지켜 내야 했다.

나이가 들면서 정조는 스스로를 지켜 나가기 위해 무예를 연마했다. 왕위에 오른 뒤에는 병사들을 어떻게 잘 훈련시켜 강한 나라를 만들까 노심초사했다. 그러던 중 선조 때부터 내려오던 무예책을 잘 다듬어 한문본으로『무예도보통지』를 펴냈다.

정조는 평소 세종을 흠모했던 터라 한글이 백성들에게 얼마나 유용하게 쓰이는지 잘 알고 있었다. 그래서 가능하면 하급 관리나 백성들과 소통할 때는 한글을 사용하려고 노력했다.

『무예도보통지』를 펴낸 뒤 정조는 규장각 검서관 이덕무, 박제가 등을 시켜 책의 중요한 부분을 한글로 옮긴 『무예도보통지언해』를 펴냈다.

1790년 『무예도보통지언해』가 완성된 뒤 정조와 대신들이 모여 이야기를 나누었다.

"『무예도보통지』가 아무리 훌륭한 내용을 담았어도 병사들이 직접 보는 건 불가능하지 않겠소?"

무예에 능했던 백동수가 아뢰었다.

"전하 말씀이 옳사옵니다. 한자를 아는 병사는 극히 일부에 지나지 않으며 대부분 까막눈이옵니다. 하지만 언문을 깨친 병사는 꽤 많사옵니다."

"그래서 우리가 『무예도보통지언해』를 펴낸 것 아니겠소."

검서관 이덕무도 아뢰었다.

"이번에는 언문 부분을 따로 떼어 내어 한 책으로 편집하였사옵니다. 책에 붙여서 봐도 좋고 떼어 놓더라도 또 한 권의 책이 될 수 있으니 매우 편리하옵지요. 또한 장령과 군졸들까지 쉽게 이해하기를 바라는 마음에서 만들었던 터라 궁벽한 글자나 심오한 문구는 음과 뜻을 쉽게 풀이했습니다. 간결하면서도 세밀하게 설명해 놓아 무예를 가르치고 익히는 데에 매우 유용할 것이라 생각하옵니다."

정조는 책 편집에도 관심이 많았다. 정조가 뿌듯한 얼굴로 『무예도보통지언해』를 살펴보며 말했다.

"개별 동작의 해설 부분을 언문으로 해석해 놓으니 누구나 내용을 암기하고 그림을 보며 전투 기술을 익힐 수 있겠구려. 한자에는 언문으로 음을 달아 놓아 한자를 모르는 이도 쉽게 읽을 수 있으니 그것도 참 좋소. 경들의 노고가 매우 컸소."

"성은이 망극하옵니다."

『무예도보통지언해』를 펴낸 뒤 병사들은 스스로 무예를 연마할 때 많은 도움을 받았고, 교관들은 더욱 세밀하게 지도할 수 있었다. 한글 무예책 덕분에 군사들의 무예 실력도 날이 갈수록 좋아졌다.

조선 21대 왕 영조가 정조를 만나다

영조 산이 너는 어릴 적부터 영특하고 어른스러웠어. 반드시 조선을 이끌고 갈 임금이 될 거라 믿었지. 너를 임금으로 만들기 위해 열 살에 죽은 네 큰아비 효장 세자의 양자로까지 들이지 않았느냐.

정조 할바마마께서 저를 어여삐 여기셨지요.

영조 아비 없이 잘 자라는 네가 대견했지. 산이 네 아비도 시대를 잘 타고났다면 훌륭한 임금이 되었을 텐데……. 가슴 아픈 일이야. 잘되지는 않았지만 두 번 다시 그런 일이 없어야 한다는 생각에 탕평책을 펼쳤지.

정조 저도 임금이 된 뒤 할바마마의 탕평책을 그대로 이어받아 실천했지요. 묵과 여러 색의 재료가 한 그릇에 어우러져 맛을 내는 탕평채처럼 신하들도 서로 도와야 나라가 튼튼해질 수 있으니까요.

영조 역시 내 손주구나. 산이 너는 어릴 때부터 남달랐어. 그 당시 어린아이가 한글로 편지를 쓰는 것은 드문 일이었지. 더군다나 왕손 중에서는 더더욱 찾아보기 힘들었어.

정조 한글이 쓰기 편했던 이유도 있지만 세종 임금님을 존경하는 마음도 있었지요. 그래서 한글을 즐겨 썼어요. 한문으로는 표현할 수 없는 것들도 한글로는 가능했으니 더 좋았어요. 왕위에 올랐을 때 제가 펼치는 정책마다 반대하고 나서는 심환지 대감과 편지를 몇백 통이나 주고받았어요. 한번은 마구 뒤섞여 엉망이 된 상태를 표현해야겠는데 한자로는 표현할 길이 없는 거예요. 그래서 한자로 보낸 편지에 한글로 '뒤죽박죽'이라고 써서 보냈어요. 얼마나 속이 후련하던지 그때 또 느꼈지요. 세종 임금님 덕분에 마음 편히 하고 싶은 이야기를 하면서 살 수 있구나 하고요.

영조 그렇지. 한글로 모든 소리를 적을 수 있으니, 마음의 소리도 글로 표현하는 데 문제없지. 그러고 보니 백성을 먼저 생각하는 마음이 세종 임금님과 많이 닮았구나. 서얼 출신의 차별을 금지하고, 백성들이 잘살 수 있게 상공업을 지원하고, 규장각을 세워 많은 책들을 펴낸 것도 다 세종 임금님의 뜻을 이은 것 아니겠느냐.

정조 부끄럽사옵니다. 할바마마께서도 세종 임금님의 뜻을 이어받아 끊임없이 한글책을 펴내셨지요. 여성들의 교육을 위해 『어제내훈』이나 『여사서』 등을 한글로 펴내기도 하셨고요. 할바마마께서는 한글과 관련해 특별히 기억에 남는 일이 있으신지요?

영조 내가 나라를 다스릴 때 김만중의 딸이자 이이명의 부인인 김씨가 손자와 시동생의 목숨을 구하려고 한글로 탄원서를 올린 것이 떠오르는구나. 한글이 있었기에 여성들도 당당히 제 목소리를 낼 수 있었던 게지.

정조 그 당시는 외교적 기밀을 유지하기 위해 한자 대신 한글로 편지를 쓰기도 했습지요. 한문으로 쓸 경우 기밀이 노출될 위험이 있었으니까요.

영조 그래, 산이 네가 나라를 다스릴 때는 한글 편지도 많이 오갔고 한글 소설도 크게 유행했어. 병서는 물론이고 조리서, 의학서도 한글로 발간되었지.

정조 예. 그렇긴 하지만 한글 편지도 한글 소설도 하층민들이나 여성들이 많이 사용하지 않았다면 발전하지 못했을 거예요. 지배층인 양반들이 적극적으로 한글을 사용했어야 하는데, 그렇게 만들지 못해 아쉬워요.

영조 그래, 그러고 보니 실제 생활에서 유용하게 쓰이는 한글 실용서들도 여성들이 집필하였구나. 그 덕분에 한글은 꾸준히 발전하였지만 조선 왕조와 지배층은 끝내 한글을 주류 문자로 전환시키지 못했어. 나도 그 점이 참으로 아쉽구나.

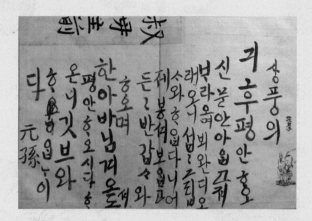

정조가 원손 시절 큰외숙모인 여흥 민씨에게 외갓집 어른들의 안부를 묻는 답
장 편지다.

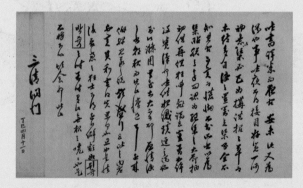

정조는 심환지에게 한문으로 편지를 보내면서 어지러운 마음을 '뒤죽박죽'이라
는 한글 낱말로 표현했다.

전기수

조선 후기

한글
이야기꾼상

"책을 쉽게 구하기 어려웠던 시절, 책을 읽고 싶었던 사람들의 갈증을 우리가 해소해 주었다오."

두뇌 · 리더십 · 창의력 · 친화력 · 예술성 · 체력

★ 특기

| 한글 소설 읽기 | 즉흥 연기 |

★ 경력

- 한글 소설의 낭독 문화를 주도하고 상업화함
- 한글 소설의 보급과 발전에 기여
- 이야기가 끝나면 온갖 세상 이야기까지 전달

★ 기타

- 장날의 최고 인기인
- 판소리꾼, 만담가, 성우의 전신
- 김홍도의 풍속화에도 등장

한글 소설로 관중을
쥐락펴락하는 거리의 이야기꾼

* * *

알짜 부자가 되다

영조와 정조가 나라를 다스리던 때 사람들 사이에서는 한글 소설이 인기가 많았다. 그러다 보니 한글 소설책을 읽어 주는 전기수도 인기가 많았고 그만큼 전기수들은 돈도 많이 벌었다.

서울 동대문 밖에 나이가 쉰쯤 된 노인이 살았다. 노인은 목소리가 굵 직하면서도 구수해서 듣기 좋았고 특별히 남 흉내를 재미있게 잘 냈다. 게다가 일찌감치 한글을 깨쳐 책을 읽을 수 있었다. 이러한 재주 덕에 노 인은 사람들에게 한글 소설책을 읽어 주는 전기수로 돈을 벌면서 살았다. 전기수는 날마다 책 보따리를 어깨에 메고 여기저기 다니느라 바빴다.

"바람 한 점 없이 더운 날이네. 그나마 오늘은 청계천 다리 밑으로 가 니 좀 덜 덥겠지."

초하루에는 청계천 제일교 아래서, 초이틀에는 제이교 아래서, 초사흘에는 배오개에서 책을 읽었다. 초나흘에는 교동 입구에서, 초닷새에는 대사동 입구에서, 초엿새에는 종로 네거리 종각 앞에서 책을 읽었다. 그렇게 청계천부터 종각까지 종로를 한 바퀴 아래로 내려갔다가 올라가고, 올라갔다가 내려오면 한 달이 지났다.

"지난주는 종각까지 돌며 『숙향전』을 읽었으니 이번 주는 거꾸로 돌며 『심청전』을 읽어야겠군."

날마다 책을 읽으니 전기수의 책들은 마치 기름을 먹인 듯 반질반질했다. 어떤 책은 책장을 하도 많이 넘겨 모서리가 너덜거렸고 책장을 묶은 끈이 풀린 곳도 있었다. 또 사람들에게 인기가 많아 자주 읽은 책은 통째로 외우기까지 했다.

청계천 다리 아래에 전기수가 나타나자 사람들이 하나둘 그곳으로 모여들더니 어느새 전기수 주변을 가득 에워쌌다. 전기수는 사람들에게 『심청전』을 읽어 주며 때로는 어리석은 심 봉사가 되기도 하고, 때로는 효녀 심청이 되기도 하고, 때로는 심술궂고 수다스러운 뺑덕어멈이 되기도 했다.

"망망한 너른 바다 위 제물이 된 심청이가 인당수에 몸을 던지려고 뱃머리에 올라섰는데."

사람들은 눈물을 흘리며 다음 이야기를 기다렸지만 전기수는 갑자기 입을 다물고 아무 말도 하지 않았다. 늘 그렇듯 가장 긴장되고 중요한 대목에서 이야기를 멈춘 것이었다. 그러면 사람들이 다음 대목을 듣고 싶어서 앞다투어 돈을 던졌다.

오일장이 서지 않는 날에도 전기수는 양반집 아녀자들에게 책을 읽어 주러 다니느라 바빴다.

하루는 옆 동네 사는 김 판서의 부인이 하녀를 보내왔다.

"전기수 할아버지, 마님께서 『옥루몽』을 구해 놓았으니 얼른 와서 읽어 달래요."

양반집에서 책을 읽어 달라는 전갈이 오면 전기수는 한달음에 달려갔다.

김 판서네 집에 도착한 전기수는 책을 보며 감탄했다.

"저도 『옥루몽』을 가지고 있지만 이렇게 그림까지 곁들여 놓은 책은 처음 봅니다."

전기수는 부인이 건넨 식혜를 한 사발 들이켜고는 마치 속삭이듯 책을 읽어 나갔다. 그렇게 전기수가 책을 읽어 주면 곁에서 듣는 부인도 하녀도 자신이 주인공이 된 듯 이야기에 빠져들었다.

전기수가 읽어 주는 책과 대목은 때와 사람에 따라 달랐다. 사내들이 드나드는 사랑방에 초청을 받으면 『춘향전』 가운데 사랑을 나누는 대목을 읽었고, 아이들이 많은 곳에서는 『심청전』을 읽었으며, 어른과 아이가 함께 모인 곳에서는 『삼국지연의』를 읽었다. 그렇게 전기수는 때와 사람에 맞춰 맛깔나게 이야기를 들려주고 알짜 부자가 되었다.

마른하늘에 날벼락을 맞다

1790년, 오일장이 서는 어느 여름날이었다. 종로 거리 운종가에는 사람들이 구름같이 몰려들었다. 농사지은 곡식과 채소를 팔러 온 아낙네부터 곰방대를 흔들며 갓 가게를 기웃거리는 시골 영감까지 그야말로 발 디딜 틈이 없었다. 어머니를 따라온 어린아이들도 있었고, 장옷으로 얼굴을 가린 양반집 부인들도 눈에 띄었다.

전기수는 그 틈새를 헤치고 들어가 담배 가게 앞에 보따리 하나를 떡하니 내려놓고 자리를 잡았다.

"장 구경, 사람 구경 따로 없네. 그래도 담배 가게 앞이라 엉덩이라도 붙일 수 있겠구먼."

전기수는 보따리에서 책을 한 권 꺼내 들었다. 그 책은 한글깨나 읽는 사람들 사이에서 유행하던 한글 소설책 『임경업전』이었다.

전기수가 책을 펼쳐 들자 이번에는 주변 가게에서 물건을 구경하던 사람들도 물건을 팔던 사람들도 전기수 옆으로 하나둘씩 모여들기 시작했다.

"오늘은 무슨 이야기를 들려주려나?"

"장날이 오기만을 얼마나 기다렸다고!"

사람들은 자연스레 전기수 둘레에 서기도 하고 앉기도 했다. 전기수는 그런 사람들 모습을 한번 훑더니 목소리를 가다듬고는 책을 읽어 나갔다.

"충청도 충주 단월 땅에 한 사람이 있었으니 성은 임이요, 이름은 경업이라."

전기수는 특유의 구수한 목소리로 이야기를 들려주었다.

"밤이면 잠을 이루지 못하고 낮이면 높은 곳에 올라 오랑캐들이 오기만을 기다리는데, 문득 바라보거늘 저 멀리 오랑캐 병사들이 승전고를 울리며 세자 대군을 앞세우고 의기양양 다가오는 게 아니겠는가."

갈수록 이야기가 흥미진진해지자 사람들은 침을 꼴깍 삼킨 채 전기수의 입에서 눈을 떼지 못했다.

"이 도적놈들을 한 놈도 놓치지 않고 무찌르리라!"

전기수는 칼을 뽑아 휘두르듯 한쪽 손을 높이 쳐들며 임경업 장군의 흉내를 냈다. 사람들은 마치 임경업 장군의 눈부신 활약을 보듯 손뼉을 치며 흥겨워했다.

그러다 전기수는 임경업 장군을 죽이려고 하는 간신 김자점으로 변신했다.

"임경업, 너는 이제 내 꾀에 죽으리라."

전기수가 눈을 가늘게 뜬 채 야비한 목소리로 실감 나게 연기를 할 때였다. 담배를 썰던 한 사내가 갑자기 눈을 부릅뜬 채 입에 거품을 물고 전기수에게 달려들었다.

"네 이놈 김자점, 어찌 임경업 장군을 죽이려 드느냐?"

사내는 그렇게 악을 쓰면서 들고 있던 낫으로 전기수를 내리쳤다. 눈 깜짝할 사이에 벌어진 일이라 주변에 있던 사람들도 어떻게 손을 쓸 도리가 없었다.

여기저기서 비명 소리가 울려 퍼지고 시장은 순식간에 난장판이 되었다.

"아이고, 이를 어째."

"큰일 났네, 큰일 났어."

피를 흘리며 쓰러진 전기수를 둘러싸고 사람들이 한숨을 내쉬며 말했다.

"얼마나 소설 낭독에 빠져들었으면 현실과 이야기를 구별하지 못했을까. 전기수 할아버지가 진짜 김자점인 줄 알았나 보구먼."

저 멀리서 포졸들과 의원 영감이 달려오고 있었다.

의적 홍길동이
전기수를 만나다

홍길동 오랜만에 뵙습니다, 전기수 어른. 홍길동입니다. 어르신 덕분에 어린 아이들부터 노인들까지 저를 모르는 사람이 없지요.

전기수 어이쿠, 여기서 길동이 자네를 만나다니! 반갑네그려.

홍길동 저도요. 그동안 한글 소설책을 통해 전기수 어른을 만나면서 몇 가지 궁금한 게 있었습니다. 하나씩 질문할게요. 전기수라는 직업은 언제부터 생겼나요?

전기수 조선 후기 이전에도 이야기꾼들이 있었으니 옛이야기가 전해 내려왔겠지? 하지만 돈을 받고 이야기를 들려주는 전문 낭독가는 없었다네. 조선 후기에 한글 소설이 유행하면서 전기수라는 직업도 생겼지. 한글이 있어서 한글 소설도 유행했고, 한글 소설이 있으니 나 같은 늙은이도 먹고살 수 있었던 게지.

홍길동 한글 소설이 유행하면서 일손이 많이 필요했을 텐데요, 한글 소설책과 관련된 직업에는 어떤 것들이 있나요?

전기수 중앙 관청들이 있는 육조 앞거리에 책을 펴내고 팔고 빌려주는 세책점이 있었지. 나도 그곳에서 책을 구하거나 빌렸다네. 책을 인쇄하는 게 쉽지 않아 한 글자 한 글자 베껴 쓰는 필사생도 있었어. 왕실이나 양반집 부인들에게 책을 읽어 주는 여자아이는 책비라고 불렀어.

홍길동 많이 읽은 책은 통째로 외우기도 하셨다는데, 사람들이 특히 좋아하는 한글 소설은 어떤 것들이 있었어요?

전기수 사람들은 영웅들의 이야기를 좋아하지. 그래서 길동이 자네가 인기가 많은 거야. 한여름 밤에는 어른이나 어린아이나 무더위를 날려 주는 귀신 이야기도 좋아하지. 어른들이 모이는 곳에 가면 야한 이야기도 들려준다네. 하하.

홍길동 그랬군요. 흐흐. 나중에 저도 몰래 가 볼까 봐요. 너무나 실감 나게 연기를 하시는 바람에 안타까운 일도 있었지만 보람된 일도 많았을 것 같아요.

전기수 물론이지. 한글 소설을 알리는 데 우리가 큰 몫을 했지. 세종 대왕은 한자를 모르는 하층민을 가르치고 그들과 소통하기 위해 한글을 만들었지만 실제 하층민 대다수는 문맹이었어. 하층민들은 기초 교육을 담당하는 서당조차 다닐 수 없었거든. 서당에서도 한글을 정식으로 가르친 건 아니었고 양반가의 여성들이 배우던 한글 가갸거겨표 등을 통해 어깨너머로 조금씩 배우긴 했지만 극소수였어. 그러다가 18, 19세기에 우리 같은 사람들의 활약으로 한글 소설이 널리 퍼지면서 한글 사용자가 부쩍 늘어난 거지.

홍길동 그렇군요. 사람이 많은 곳이면 틀림없이 나타나는 전기수 어른, 그럼 우리 또 만나요!

10

빙허각 이씨

1759~1824년

한글
백과사전상

"남성 사대부들이여,
지식을 한문책에 가두지 마라."

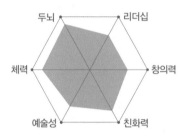

두뇌 · 리더십 · 창의력 · 친화력 · 예술성 · 체력

★ **특기**

| 알뜰살뜰 규방 살림 | 놀랄 만한 기억력 |

★ **경력**
– 최초의 한글 백과사전 『규합총서』 집필
– 『빙허각고』에 자작시 백 수십 편 수록

★ **기타**
– 집안 형편이 어려워져 차밭을 일구며 생활
– 이름은 전해지지 않고 호가 빙허각
– 서양 문물에도 관심이 많았음

한글 백과사전으로
여성들을 도운 만물박사

✦ ✦ ✦

한글 생활 백과사전을 꿈꾸다

빙허각 이씨는 실학자 집안에서 자라나 어릴 적부터 한자와 한글 실력이 남달랐다. 열다섯에 같은 실학자 집안의 장남인 서유본과 결혼해서도 늘 책을 끼고 살았다.

화창한 봄날, 파주 장단에서 시골 생활을 하는 서유구가 형님 서유본의 집을 찾았다.

"제가 요즘 생활 백과사전인 『임원 경제지』를 쓰고 있는데, 형님과 형수님께서 먼저 봐 주시면 좋겠어요."

서유본은 동생이 건넨 원고 뭉치를 받아 찬찬히 살폈다.

"아우야, 참으로 장하다. 실생활에 필요한 지식들을 꼼꼼히 적어 놓았구나. 시골에서 과수원 하랴 농사지으랴 틈이 없었을 텐데, 그 방대한 백과사전 작업을 혼자 해내고 있구나!"

서유본은 동생이 한없이 자랑스러웠다.

"네, 형님. 그리 말씀해 주시니 마음이 놓입니다. 이 모든 게 형님과 형수님께서 늘 힘을 실어 주신 덕분이에요. 사실 쓰는 것보다 많은 자료들을 찾고 정리하는 게 힘들어요. 참고한 서적만 천 권 가까이 될 것 같아요."

서유구의 이야기에 빙허각 이씨가 고개를 끄덕이며 말했다.

"서방님, 정말 대단하십니다. 서방님은 이 시대의 진정한 실학자이며, 실학사상을 몸소 실천하고 계시는 분이셔요."

"어릴 적부터 형님과 형수님께서 저를 가르쳐 주시지 않았다면, 저 혼자 힘으로는 이루지 못할 일이에요."

빙허각 이씨도 원고를 한 장 한 장 눈으로 읽으며 넘겨 보았다.

"일목요연하게 잘 정리해 놓으셨네요. 인용 출처까지 모두 밝히셨군요."

"물론이지요. 제 이론이 아닌 이상 남의 것임을 꼭 밝혀야 합니다. 그것이 지식의 출발이니까요."

서유구가 힘주어 말했다.

"그런데 서방님, 이 책은 누가 읽으라고 쓰시는 건가요?"

시동생이 어리둥절한 표정으로 자신을 바라보자 빙허각 이씨가 덧붙여 말했다.

"우리 같은 아낙들이 꼭 알아야 할 지식도 많은데 어려운 한문으로 되어 있으니 쉽게 읽어 낼 수가 없을 것 같아요. 저야 한문을 아니까 그럭

저럭 읽을 수 있지만요."

그제야 서유구가 형수님의 말을 알아차리고 대답했다.

"저는 제 큰 뜻을 한문으로 남겨 사대부 양반들에게 전하고 싶어요. 사대부 양반들 중에 쟁기 한번 들어 본 사람이 있을까요? 자기 밥숟가락 하나 드는 것 말고는 하는 일이 없잖아요. 이 책을 통해 양반들의 놀고먹으려는 생각을 뜯어고치고 싶어요."

서유구의 말에 형님도 형수님도 나직이 한숨을 내쉬었다.

"그래, 아우 말이 백번 옳다. 양반이고 평민이고 다 같이 일을 하고 자기 몫을 해내야 모두 다 잘살 수 있을 텐데 말이야."

곁에 있던 빙허각 이씨도 한마디 거들었다.

"서방님 말씀을 듣고 보니 그런 양반들이라면 언문으로 쓴 생활 백과사전이 나와 봤자 거들떠보지도 않을 것 같네요. 서방님은 양반들이 읽는 생활 백과사전을 펴내고, 저는 아녀자들이 볼 수 있는 생활 백과사전을 펴내야겠어요."

"하하하. 형수님, 그것참 좋은 생각입니다. 그런데 아무래도 저는 아주 오랜 시간이 걸릴 것 같아요. 한문으로 쓰고 정리하는 일이 만만치 않더군요."

세 사람은 흐뭇한 얼굴로 서로를 바라보았다. 그새 날이 저물어 가는지 방문 틈으로 노을이 붉게 물들어 갔다.

『규합총서』로 한글의 가치를 높이다

빙허각 이씨는 남편 서유본과 평생을 부부이자 친구처럼 지냈다. 두 사람은 함께 책을 읽고 함께 글을 썼다. 봄이면 진달래를 따다 화전을 부치고 백화주를 빚어 마셨으며, 가을이면 단풍 진 오솔길을 도란도란 걸으며 시를 짓고 읊었다.

1809년, 벚꽃이며 살구꽃이 활짝 필 무렵 빙허각 이씨는 한양 도성 바깥 동네에 살며 생활 백과사전 『규합총서』를 마무리했다.

"여보, 드디어 끝을 냈구려. 이 책은 대대로 귀하게 쓰일 것이오."

서유본이 아내의 손을 맞잡으며 말했다.

"이게 다 당신이 도와준 덕분이에요. 그 많은 자료들을 함께 찾아 주고, 사전을 펴내는 데만 힘을 쓰도록 집안일도 거들어 주었으니까요."

"당연히 할 일을 했을 뿐인데 당신한테 칭찬을 들으니 쑥스럽지만 기분은 좋구려. 어쨌거나 이웃 아낙들한테 이 소식을 알리고 기쁨을 함께 나눠야겠소."

"그들을 위해 언문으로 쓰고 우리말을 그대로 살려 썼으니 그러면 더할 나위 없이 좋지요."

얼마 뒤 빙허각 이씨 집 마당에 아낙들이 가득 모였다. 옆 마을에서도 뒷마을에서도 소문을 듣고 달려왔다.

"빙허각 마님께서 이번에 우리들을 위해 생활에 쓸모 있는 책을 내셨다는데 반갑고 고맙기 그지없지요."

"이게 다 좋은 아내와 좋은 남편이 있기에 가능한 일이지요."

"조선 천지에 남편이랑 평생을 친구처럼 지내며 사는 부부가 얼마나 되겠어요?"

"서유본 대감마님은 외조의 왕이 틀림없구먼요."

마을 아낙들이 수다를 늘어놓았다.

"의식주와 질병에 관련된 생활 지침들을 모아 놓았으니 살아가면서 크고 작은 문제가 생길 때 두루두루 쓰일 것이네. 더군다나 언문으로 쓴 책이라 자네들도 쉽게 읽을 수 있을 테니 틈틈이 읽어 보고 필요할 때마다 꺼내 보게."

툇마루에 앉아 『규합총서』를 살펴보던 아낙이 물었다.

"와, 백과사전이라서 그런지 없는 게 없어요. 마님께서는 어떻게 이런 책을 쓰실 생각을 하셨어요?"

"딸이랑 며늘아기들한테 전하려고 생활에 필요한 것들을 조금씩 써 놓았었네. 그런데 얼마 전에 시동생이 한문으로 생활 백과사전을 쓰는 모습을 보고 한자를 모르는 사람들에게도 꼭 필요할 듯하여 큰맘 먹고 쓰게 된 것이네. 이렇게 자네들이 기뻐해 주니 그동안 고생한 것도 다 잊히는구려."

"남성 양반님들이 쓴 책들은 모두 한문이라 아무리 좋은 책이라 해도 우리 같은 사람들한텐 말짱 도루묵이죠."

젊은 새댁의 말에 아낙들이 손뼉까지 치며 웃어 댔다.

"그러게요, 언문이 최고죠. 왜 남자들은 세종 임금님이 만들어 놓은 쉬운 글자를 쓰지 않고 배우기도 어렵고 쓰기도 어려운 한문만 쓰는지 모르겠어요."

건넛마을 돌이 엄마의 말에 옆집 월선이 엄마도 껴들어 말했다.

"빙허각 마님이야말로 남성 양반님 천만 명 몫을 하셨구먼요. 이 언문 생활 백과사전으로 우리 민초들도 살리고 우리 글자도 살리고요."

아낙들의 수다는 봄 마당에 여름 볕이 내리듯 끝을 모르고 뜨겁게 이어졌다.

실학자 서유구가
빙허각 이씨를 만나다

서유구 형수님, 이게 얼마 만입니까? 그동안 평안하셨는지요? 형님과 형수님이 세상을 떠나시기 전에 『임원 경제지』를 완성해서 보여 드렸어야 하는데, 그러지 못해 많이 아쉬웠습니다.

빙허각 이씨 저도 서방님을 다시 만나니 꿈만 같아요. 비록 『임원 경제지』를 완성한 것은 못 봤지만 몇십 년이라는 세월 동안 서방님이 변함없이 한길만 걸어오신 것은 잘 알지요. 보통 인내력으로는 할 수 없는 일이에요.

서유구 워낙 많은 양의 책을 읽고 써내야 해서 시간이 오래 걸린 것도 있지만 모두 한문으로 기록해야 해서 더 많은 시간이 필요했어요.

빙허각 이씨 맞는 말씀이에요. 아마 한글로 된 책을 보고 한글로 글을 쓰셨다면 책을 써내는 시간이 반의반으로 줄어들었을 거예요.

서유구 그나마 형수님이 쓰신 조선 최고의 가정생활 백과사전인 『규합총서』가 있어서 얼마나 다행이었는지 모릅니다. 한글로 써서 아녀자들이 쉽게 읽을 수 있는 것도 좋지만 당시 가정에서 많이 사용하는 말들을 담아 쓰신 것도 좋고, 문장을 낱말별로 끊어 오른쪽에 구두점을 찍어서 읽기에도 편했어요.

빙허각 이씨 　보기 편하게 띄어 쓰고 싶었지만 종이가 귀한 시절이니 그럴 수는 없고 구두점으로 표시했지요.

서유구 　저도 생활 백과사전을 쓰면서 농사짓는 법, 누룩 빚는 법은 물론이고, 건강하게 사는 법이며 몸 공부 마음공부까지 사람이 살아가는 데 필요한 것들을 세세하게 적어 놨지만 형수님도 술과 음식에 관련된 내용이며, 바느질과 길쌈, 밭농사 짓는 방법, 가축 기르는 방법, 병 다스리는 법 등 다양한 생활의 지혜를 모아 놓으셨더라고요.

빙허각 이씨 　그랬지요.『규합총서』의 '규합'은 말 그대로 부녀자가 거처하는 방이란 뜻이니 여성들한테 필요한 정보를 담았고 그러다 보니 부녀자들 사이에서 인기가 많았어요. 당시 부녀자들이 필사를 많이 해서 그런지 현재 남아 있는 책 중에는 조금씩 다르게 적힌 책들도 있더라고요.

서유구 　『규합총서』에서 밥을 먹을 때는 봄처럼 하고, 국을 먹을 때는 여름처럼 하고, 장을 먹을 때는 가을처럼 하고, 술을 먹을 때는 겨울처럼 하라며 음식 섭취를 사계절에 빗대 표현하신 걸 보고 역시 형수님이야말로 지혜로운 분이며 탁월한 문장가라고 다시 한번 생각했어요.

빙허각 이씨 　서방님도 잘 아시겠지만 밥은 따뜻한 것이 좋고, 국은 뜨거운 것이 좋고, 장은 서늘한 것이 좋고, 술은 찬 것이 좋기에 그런 뜻을 담아 이야기했지요. 저야말로『임원 경제지』를 한글로 옮기지 못한 게 아쉬워요. 실생활에 필요한 정보를 모두 담아 놓은 책인데, 그런 좋은 책을 많은 사람들과 함께 나누지 못했잖아요. 내가 오래 살았다면 한글로 옮겨 적어 많은 사람이 볼 수 있게 했을 거예요.

서유구 몇십 년에 걸쳐 썼으니 한글로 번역하는 일이 만만치 않았겠지만, 그랬다면 『규합총서』와 함께 더 많은 사랑을 받았을 것 같습니다.

● 『규합총서』 표지와 차례, 본문

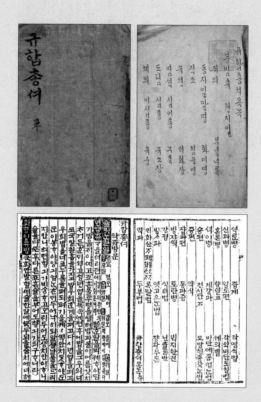

『규합총서』에 실린 연잎술 만드는 법이다. 현대어로 옮기면 다음과 같다.

가을 서리 전에 (날이 더우면 쉬기 쉬우니까) 쌀 한 말을 여러 번 씻어 물에 담가 밥을 짓는다. 좋은 물 두 병을 끓여 밥과 물이 얼음같이 차갑게 되면 한데 섞는다. 연잎을 술독에 편 뒤에 밥을 그 위에 넣는다. 좋은 누룩 일곱 홉을 준비해서 밥 위에 누룩을 뿌리고 다시 연잎을 펴고 위에 밥을 넣고 누룩을 뿌린다. 떡 안치듯 술을 안치고 봉한다.

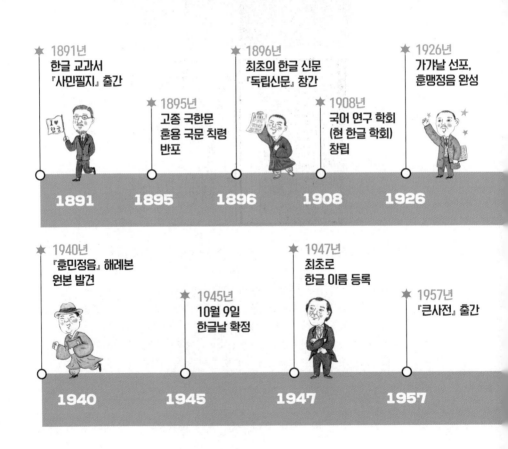

★ 1891년
한글 교과서
『사민필지』 출간

★ 1895년
고종 국한문
혼용 국문 칙령
반포

★ 1896년
최초의 한글 신문
『독립신문』 창간

★ 1908년
국어 연구 학회
(현 한글 학회)
창립

★ 1926년
가갸날 선포,
훈맹정음 완성

1891   1895   1896   1908   1926

★ 1940년
『훈민정음』 해례본
원본 발견

★ 1945년
10월 9일
한글날 확정

★ 1947년
최초로
한글 이름 등록

★ 1957년
『큰사전』 출간

1940   1945   1947   1957

2부

근현대에서
만나다

1928년
가갸날을
한글날로
명칭 개정

1933년
한글 맞춤법 통일안
제정 공포

1937년
한글 문법책
『우리말본』,
『한글갈』 펴냄

1928　　　**1933**　　　**1937**

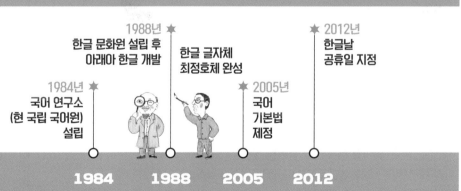

1988년
한글 문화원 설립 후
아래아 한글 개발

한글 글자체
최정호체 완성

2012년
한글날
공휴일 지정

1984년
국어 연구소
(현 국립 국어원)
설립

2005년
국어
기본법
제정

1984　　　**1988**　　　**2005**　　　**2012**

01

헐버트

1863～1949년

한글
세계로상

"한글과 견줄 문자는 세상 어디에도 없다."

★ 특기

★ 경력

- 육영 공원 교사
- 최초의 한글 전용 지리 교과서 『사민필지』 펴냄
- '훈민정음'을 학문적으로 분석한 논문 발표
- 주시경과 함께 『독립신문』 간행에 크게 이바지

★ 기타

- 한국 이름 헐벗, 홀법, 할본
- 구전 민요 「아리랑」에 최초로 음계를 붙임
- 대한민국 독립운동에도 앞장서고 평생의 소원대로 한국에 묻힘

외국인
열혈 한글 홍보 대사

✦ ✦ ✦

한글 전용 교과서 『사민필지』를 펴내다

1891년 봄꽃이 필 무렵, 육영 공원 교무실 안이 떠들썩했다.

"이 책이 헐버트 선생이 펴낸 『사민필지』라고요?"

"육영 공원은 왕족과 고위 관리 자제들을 위해 고종 황제께서 직접 만드신 학교인데, 언문으로 된 교과서로 학생들을 가르치다니요?"

"한문에 익숙해진 양반가 학생들은 언문으로 배우기 힘들 거예요."

육영 공원 교사들은 헐버트를 둘러싸고 한마디씩 내뱉었다. 대부분의 교사들이 이구동성으로 혀를 차며 이야기했지만 한편에서는 호기심 가득한 눈빛을 보이기도 했다.

"조선인도 하지 못한 일을 미국인이 하다니 참으로 놀랍습니다."

"『홍길동전』처럼 언문으로만 쓰여 있으니 신기하긴 하네요. 그런데

'사민필지'가 무슨 뜻이오?"

　교사들 이야기에 귀를 기울이고 있던 헐버트가 입을 열었다. 헐버트는 스물네 살이었던 1886년 7월, 고종 임금의 초청을 받아 육영 공원의 교사로 조선에 왔다.

　"『사민필지』는 '선비와 백성 모두가 꼭 알아야 할 지식'이라는 뜻을 지닌 세계 지리책입니다. 조선은 아주 작은 나라지만 영어 알파벳보다 더 뛰어난 글자가 있습니다. 하지만 이런 훌륭한 글자를 양반들이 무시하는 것을 보고 놀랐습니다."

　헐버트는 학생들을 가르치려면 무엇보다 자신이 먼저 한글을 깨쳐야 한다고 생각했다. 그래서 직접 한글로 인문 지리 교과서 『사민필지』를 펴낸 것이다.

　헐버트의 말에 교사들은 아무런 대꾸도 하지 못하고 자리로 돌아갔다.

　곧이어 종이 울리고 수업이 시작되자 헐버트는 조선의 양반가 학생들에게 말했다.

　"오늘은 『사민필지』를 펴낸 날이에요. 한자는 어려워서 모든 사람이 읽을 수 없지만 조선의 글자인 훈민정음은 본국의 글자일 뿐 아니라 양반이든 백성이든, 남자든 여자든 배우기 쉬워요. 이렇게 중국 글자보다 좋은데도 양반들이 업신여기니 어찌 된 일인지 모르겠어요."

　헐버트의 이야기에 학생들의 얼굴이 달아올랐다.

　"선생님 말씀을 듣고 나니 부끄럽습니다."

　"사실 저희도 세종 임금님께서 만드신 쉬운 글자를 쓰고 싶은데 어른들이 한자만을 고집하니 어쩔 수 없이 쓰고 있습니다."

"한자만을 고집하는 어른들을 이해할 수 없습니다."

학생들의 말에 헐버트가 이어 말했다.

"옛날에는 자신의 나라만 지키고 자신의 나라 문화만 따르면 되었지만 지금은 그렇지 않아요. 사람도 물건도 문화도 서로 통해야 합니다. 그러려면 다른 나라들의 지리와 문화도 알아야 하지요. 앞으로 훈민정음으로 쓴 『사민필지』를 통해 세계 여러 나라의 산천, 경제, 풍속 등을 공부할 거예요."

학생들은 새로운 세상이 마치 눈앞에 펼쳐진 듯 입을 다물지 못했다.

한글의 우수성을 세계에 알리다

헐버트는 『사민필지』를 펴낸 뒤에도 한글의 우수성을 알리는 데에 많은 노력을 기울였다.

"세계 문자의 역사를 통틀어 봐도 조선의 글자만큼 과학적인 문자는 없어. 이런 훌륭한 문자가 있다는 것을 세상에 널리 알려야겠어."

헐버트는 1893년에 우리나라 최초의 영문 월간지인 『한국 소식(Korean Repository)』에 「한국의 글자(The Korean Alphabet)」라는 논문을 발표했다. 국제 학술지와 미국의 신문

과 잡지에도 한글이 얼마나 과학적인 문자인지 알리는 글을 실었다. 그뿐 아니라 국제 설화 학술회의에서 단군 신화를 소개한 글과 조선의 속담을 영어로 옮기고 해설을 붙인 글을 발표할 만큼 한글에 푹 빠져 지냈다.

1913년, 중국의 초대 총통이 된 위안스카이는 조선의 정치와 외교를 간섭할 목적으로 조선에 들어와 있었다. 그러던 어느 날 위안스카이는 선교사로 활동하고 있는 헐버트를 만나게 되었다.

"참으로 대단하십니다. 조선 사람보다 조선 말과 글을 더 잘 아시는군요."

"조선의 글을 익히고 쓰면서 세종 대왕이 얼마나 창의적이고 백성들을 사랑했는지 알았어요. 훈민정음은 영어보다 훨씬 우수합니다. 영어

알파벳에 필요한 발음 기호가 훈민정음에는 필요 없어요. 더욱이 자음과 모음의 조합이 간편하여 쓰기와 말하기가 정말 쉽고 편하지요."

헐버트의 말에는 의욕이 넘쳤다. 파란 눈의 미국인이 다른 나라 말을 치켜세우자 위안스카이가 고개를 갸웃거리며 말했다.

"그래요? 조선의 글자가 그리 뛰어나단 말입니까?"

"네, 200개가 넘는 나라의 문자들과 비교해 봤지만 견줄 만한 글자를 발견하지 못했어요. 더군다나 배운 지 나흘이면 깨칠 만큼 누구나 쉽게 배울 수 있어요. 중국에도 글자를 모르는 사람이 많지 않습니까?"

"한자는 표의 문자인 데다 글자 수가 수만 개입니다. 그러니 중국 사람이라고 누구나 한자를 아는 건 아니에요."

위안스카이의 말이 끝나기가 무섭게 헐버트가 무릎까지 치며 말했다.

"그렇다면 조선이 한자를 쓸 게 아니라 중국이 한자 대신 조선의 글자를 써야겠는걸요. 국민들이 글자를 알아야 책을 읽을 수 있고, 책을 읽어야 지식을 쌓을 수 있지 않습니까? 국민들이 지식을 쌓아야 과학이 발달해서 나라도 잘살고 정치도 쉬워집니다."

위안스카이는 헐버트의 말에 귀가 솔깃했다.

"대국에서 오신 미국 분께서 입에 침이 마르도록 칭찬하는 글자라면 한번 생각해 보겠습니다."

그 뒤 헐버트는 일본에도 한글을 공식 문자로 사용할 것을 제안했다. 그만큼 헐버트의 한글 사랑은 끝이 없었다.

한글 운동가 이대로가 헐버트를 만나다

이대로 선생님과 인터뷰를 하게 되어 무척 기쁩니다. 부끄럽지만 저는 『우리 말 글 독립운동의 발자취』라는 책을 펴내 박사님의 업적을 크게 알리기도 했답니다.

헐버트 예, 저를 위해 애쓴 분을 직접 만나니 저도 감개무량합니다.

이대로 선생님께서는 한국과 한글을 참 많이 사랑한 분이셨는데요. 지금 한글 이 발전한 모습을 보면서 어떤 생각이 드시는지요.

헐버트 띄어쓰기를 비롯한 한글 맞춤법을 잘 지켜 언어생활을 하는 모습이 인상 깊어요. 제가 한국에 왔을 때는 한글을 쓸 때 띄어 쓰지 않아 읽기가 불편 했어요. 조선어 학회에서 한글 맞춤법 통일안을 만든 덕분에 띄어쓰기를 하게 되었고 글을 읽을 때 뜻을 파악하기 쉬워졌지요.

이대로 박사님은 한글의 우수성과 과학성을 해외에 최초로 알린 분으로 알고 있습니다. 주시경 마당에 있는 선생님 동상에는 이런 글귀가 쓰여 있습니다. "한글과 견줄 문자는 세상 어디에도 없다." 이렇게 생각하신 까닭은 무엇인지요.

헐버트 한글의 우수성을 해외에 최초로 알린 이는 네덜란드인 하멜이었지요. 물론 학술적으로 처음 알린 이는 저고요. 하멜은 1653년에 일본으로 가던 중 배가 난파되어 제주도에 도착한 후 13년간 억류되었다가, 1663년에 탈출해 고국으로 돌아가 『하멜 표류기』를 썼지요. 그 책에서 "한글은 백성들이 사용하는 문자로 배우기가 무척 쉽고, 어떤 사물이든지 쓸 수 있다. 전에 들어 보지 못한 것도 표기할 수 있는, 더 쉽고 더 나은 문자 표기 방법이다."라고 짧게 언급했답니다. 한글의 모음과 자음이 만나서 글자를 이루는 방식은 굉장히 과학적이지요. 영어의 알파벳을 보면 모양만으로 자음과 모음을 구별하기 힘듭니다. 그에 비하면 한글은 기본 글자가 자음 ㄱ, ㄴ, ㅁ, ㅅ, ㅇ 다섯 개와 모음 ·, ㅡ, ㅣ 세 개로 이루어져 단순하고 확실합니다.

이대로 선생님의 한글 사랑은 정말 놀랍습니다. 다시 한번 감사 드립니다.

● 『사민필지』 서문

헐버트는 『사민필지』 서문에서 한글로 세계 풍습과 지리를 알리려고 한 까닭과 한글의 우수성에 대해 이야기하였다.

주시경

1876~1914년

한말글
얼샘상

"한 나라의 문화 창조는 나랏말과 글로써 이루어진다."

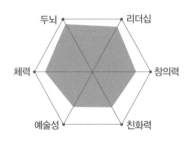

두뇌 · 리더십 · 창의력 · 친화력 · 예술성 · 체력

★ 특기

불타는
학구열

한글
연구

주산과
지리

★ 경력
- 서재필과 함께 최초의 한글 신문 『독립신문』 펴냄
- '한글'이란 명칭을 처음으로 퍼뜨림
- 최초의 국어사전 『말모이』 펴냄
- 『대한 국어 문법』, 『소리갈』 등을 펴내 우리말과 한글을 이론적으로 체계화함

★ 기타
- 직접 교재를 만들어 이곳저곳 다니는 주 보따리 선생님
- 한글 연구에 골몰한 나머지 길을 걷다 종종 전봇대에 부딪쳤는데도 아랑곳 안 함

한글 대중화와
근대화의 개척자

✦ ✦ ✦

서재필과 함께 순 한글 신문 『독립신문』을 만들다

1895년 겨울, 미국으로 망명을 갔던 서재필이 조선으로 돌아왔다. 서재필은 갑신정변에 참여했다 정변이 실패한 뒤 미국으로 건너가게 되었다. 그러다 갑오개혁으로 국내 정세가 바뀌면서 사면령이 내려져 다시 돌아올 수 있었다.

서재필은 조선에 오자마자 무능한 정부를 비판하고 나라 안팎 사정에 어두운 국민들을 일깨우기 위해 순 한글 신문인 『독립신문』을 만들기로 마음먹었다. 그리고 배재 학당에 다니던 주시경을 불러 회계 겸 교정 일을 맡겼다.

1896년, 『독립신문』 창간호 준비로 바쁜 어느 날, 『사민필지』를 펴낸 헐버트가 신문사를 찾았다. 때마침 서재필과 주시경은 신문 편집 방향에 대해 이야기를 나누고 있었다.

"어서 오십시오. 그렇지 않아도 편집 회의를 하고 있었습니다. 헐버트 선생이 영문판 편집을 맡아 준 덕분에 국문판과 영문판을 동시에 내놓게 되었습니다."

서재필과 주시경은 헐버트를 반갑게 맞았다.

"조선에서 최초로 국문 전용 신문이 만들어지는데, 이런 귀한 자리에 함께할 수 있어 영광입니다."

헐버트의 말에 서재필이 한숨을 내쉬며 말했다.

"한자를 쓰지 않고 우리 글자만 쓰는 것은 귀한 사람이든 천한 사람이든 가리지 않고 모두 보게 하기 위해서지요. 그런데 아직도 이 땅에 사는 지식인들은 한자를 우대하니 걱정입니다. 우리의 말과 글을 아끼는 주시경 군이 함께해 주니 마음이 놓이긴 하지만요."

헐버트가 고개를 끄덕이며 한마디 덧붙였다.

"다른 나라에서는 남녀 막론하고 국문을 먼저 배우고 나서야 외국 글을 배우는데, 조선에서는 국문이 있는데도 배우지 않고 한자만 공부하니 안타깝습니다."

주시경은 서재필과 헐버트가 이야기를 나누는 동안 가슴에 새 신문에 대한 열정이 더욱더 불타올랐다.

"우리가 만드는 신문을 보고 외국 물정과 국내 사정을 알게 하려는 뜻이니, 남녀노소 상하귀천을 떠나서 우리 신문을 몇 달만 보면 누구나 지식을 쌓고 학문을 할 수 있을 거라 믿어요. 무슨 일이 있어도 하루빨리 『독립신문』을 창간해서 나라 안팎의 소식도 전하고 우리 글자 사용도 독려해야겠습니다."

서재필과 헐버트가 흐뭇하게 웃으며 주시경을 바라보았다.

"주시경 군이 이렇게 힘을 실어 주니 이루지 못할 일이 없지. 시경 군, 창간호 사설 원고를 헐버트 선생한테도 보여 주게."

"네, 선생님."

주시경이 원고를 건네자 헐버트의 눈이 휘둥그레졌다.

"글을 쓸 때 이렇게 띄어쓰기를 하니 신문 보기가 쉽고 신문에 있는 말을 정확히 알 수 있어 좋습니다."

"이제껏 우리글에는 띄어쓰기가 없어서 불편하다고 생각했는데, 마침 시경 군이 의견을 주었지요."

서재필의 말에 주시경이 쑥스러운 듯 이어 말했다.

"영어는 띄어쓰기를 해서 읽기 편하잖아요. 그런데 우리글은 말마디를 띄지 않고 줄줄 내려쓰다 보니 글자가 위에 붙었는지 아래에 붙었는지 알아보기가 어려웠어요. 몇 번 읽어 본 뒤에야 글자가 어디 붙었는지 비로소 알게 되니까요."

"아, 좋군요, 좋아. 이제 '아버지가 방에 들어갔다'가 '아버지 가방에 들어갔다'처럼 엉뚱하게 읽힐 일은 없겠군요."

헐버트의 말에 서재필과 주시경은 서로를 바라보며 너털웃음을 터뜨렸다.

우리글에 '한글'이란 이름을 짓다

주시경은 배재 학당을 졸업한 뒤 본격적으로 한글과 우리말 교육에 나섰다. 그 무렵 우리나라는 1905년 을사조약으로 외교권을 박탈당한 뒤라 거의 기울어진 상태였다. 주시경은 이런 때일수록 우리글을 제대로 배워 지식을 쌓아야 한다고 생각했다. 마치 세종이 책을 통해 백성을 가르쳐야 한다고 생각한 것과 다르지 않았다.

"한글이 만들어진 지 450년이 넘도록 우리글을 모르는 사람이 아직도 많다니! 상동 교회 청년 학원에 국어 강습소를 설치해 우리의 말과 글을 가르쳐야겠어."

당시 상동 교회는 전덕기 목사를 중심으로 독립운동가를 양성하던 비밀 결사 단체이기도 했다.

주시경은 서울 시내에 있는 학교들을 돌아다니며 학생들을 가르쳤다. 직접 교재를 만들어 큰 보따리에 싸 가지고 다니면서 학생들에게 나누어 주기도 했다.

한여름 무더위가 한풀 꺾인 1908년 8월 31일, 서울 신촌에 있는 봉원사에서 국어 연구 학회 창립식을 열기 위해 주시경과 제자들이 모두 모였다.

주시경이 봉원사에 모인 제자들에게 먼저 입을 열었다.

"우리 민족은 지금 백척간두에 놓였습니다. 을사조약으로 외교권을 빼앗기고 나라가 언제 일본의 손아귀에 넘어갈지 모릅니다. 이런 터에 우리 말글을 지키고 가꾸어 우리 얼을 지키는 데에 여러분이 온 힘을 다하기로 하였으니 얼마나 기쁜지 모릅니다."

주시경의 가르침을 받은 국어 강습소 졸업생과 뜻있는 사람들은 우리말 우리글을 연구하고 교육하기 위해 힘을 모았다. 하지만 2년 뒤인 1910년, 조선은 일본에 주권을 빼앗기고 말았다. 일본어가 국어가 된 상황에서 우리는 우리의 글을 쓰지도 못하고 국어라고 부르지도 못했다. 국어 연구 학회도 조선어 연구회라고 불러야 했다.

"나라가 망하니 우리말을 가리키는 말을 '조선어'라고 쓸 수밖에 없는 현실이 되었구나."

주시경은 깊은 한숨을 내쉬었다.

"들판에 핀 풀 한 포기도 이름이 있거늘 우리의 귀한 글자인데 제대로 된 이름이 없어서야. 그래 가지고 어찌 귀히 여기며 우리 글자를 지킬 수 있단 말인가!"

주시경은 우리 글자를 부르는 새 이름을 짓기 위해 여러 날을 고민했다. 그러던 어느 날, 국어 강습소 졸업생인 제자 김두봉과 최현배가 찾아왔다.

"이번에 『보중 친목 회보』에 쓰신 '한나라말'에 대한 글을 감동 깊게 읽었습니다."

김두봉의 말에 최현배도 덧붙여 말했다.

"저도 읽고 또 읽었지요. 거의 외울 정도입니다. '말은 나라를 이루는 것인데 말이 오르면 나라도 오르고 말이 내리면 나라도 내리나니라.'라는 말이 계속 가슴을 울립니다."

제자의 말을 듣던 그 순간 주시경의 머릿속에 '한나라말'이라는 말이 퍼뜩 스쳐 지나갔다.

"옳거니! 한나라말이 있으면 한나라글이 있지!"

스승이 혼자 중얼거리자 두 제자는 눈이 휘둥그레졌다.

"선생님, 무슨 말씀입니까?"

"나라가 망해 우리 글자를 국어라고 할 수도 없고 조선어라고 불러야 하지 않느냐."

두 제자는 한숨을 내쉬며 고개를 떨구었다.

"그래서 요즘 고민이 많았는데, 너희 이야기를 듣다 보니 한나라글을 줄여 한글로 부르면 좋겠다는 생각이 드는구나."

주시경의 말에 김두봉과 최현배는 마치 보물이라도 발견한 아이처럼 기뻐했다.

"한말, 한글, 아주 좋습니다."

"역시 스승님의 한글 사랑은 대단하십니다."

제자들의 말에 주시경은 힘이 솟았다.

"이제부터 우리글을 오직 하나의 큰 글, 한나라글이라는 의미를 담아 '한글'이라 부르도록 하자."

그 뒤 주시경은 국어 연구 학회의 이름도 한글모(한글 모임)로 바꾸고 우리나라 고유의 글자 이름인 '한글'을 널리 알렸다.

한글학자 김두봉과 최현배가
주시경을 만나다

주시경 너희를 한자리에서 다시 만나다니 꿈만 같구나. 이렇듯 한글로 남과 북이 통일되는 날이 와야 할 텐데.

김두봉 광복 이후 제가 북한으로 가지 않았다면 다 함께 모여 한글 발전에 힘을 쏟았을 거예요. 그나마 다행히도 서로 사는 곳은 다르지만 스승님의 뜻을 이어받아 한글만 쓰는 세상을 만들기 위해 노력했지요.

최현배 다 함께했다면 더할 나위 없이 좋았겠지만, 그래도 두봉이 형처럼 훌륭한 한글학자가 북한으로 갔으니 북한에서도 조선어 신철자법을 만들고 다양한 한글 정책을 펼쳤다고 생각해요.

주시경 그렇지. 너희는 나의 수제자이자 북한과 남한의 한글 발전에 이바지한 큰 별이지.

김두봉 오랜만에 만나니 옛 생각이 많이 나요. 스승님과 서재필 선생님께서 함께 펴낸 『독립신문』을 보며 큰 감명을 받았지요. 그러고 보니 서재필 선생님과는 어떻게 인연이 되셨나요?

주시경 선생님은 배재 학당에서 지지학을 가르치셨지. 그때 나를 유심히 보셨어. 우리말 지식이 뛰어난 데다 우리말 연구에 매진하는 모습이 좋아 보이셨나 봐. 내 눈에는 자네들이 그렇게 보였다네.

최현배 상동 교회에서 함께했던 시간들이 주마등처럼 스쳐 지나가요. 스승님께서는 휴일도 없이 국어 강습소에 나오셔서 저희를 가르치셨지요. 국어 강습소 수료식 날 스승님의 어두웠던 얼굴이 아직도 또렷합니다.

주시경 그때 내가 자네들한테 물었지. 앞으로 어찌할 거냐고. 일제의 탄압으로 일본어를 국어라 부르고 우리말을 조선어라고 부르는 시절이었지만 자네들은 망설임 없이 말했네. 교회에 남아, 그리고 시골 방방곡곡을 다니며 학생들에게 배달말글을 가르치겠다고.

김두봉 스승님께서 "나무를 스스로 자라게 하는 것은 하늘이고, 자란 나무를 가다듬는 것은 사람이며, 집을 짓기 위해서는 나무를 마름질하여야 하지 않겠니."라고 말씀하셨잖아요.

주시경 그랬지. 절로 자라는 나무는 언어이고, 그 언어를 가다듬는 것은 사람이고, 사람이 언어인 나무를 가다듬는 것은 말의 본을 세워 말본(집)을 만들기 위해서라 할 수 있지.

최현배 익숙한 말버릇에만 치우쳐 언어를 마름질하지 않으면 마치 제멋대로 자란 나무로 집을 짓는 것과 다르지 않다는 말씀이셨지요.

주시경 역시 두 사람은 하나를 알려 주면 열을 알아.

김두봉 스승님께서는 한글뿐 아니라 우리말 연구에도 공을 많이 들이셨어요. 모음, 자음처럼 어려운 한자로 된 말도 홀로 나는 소리여서 홀소리, 어딘가에 닿아 나는 소리여서 닿소리로 쉽게 바꿔 부르셨잖아요.

주시경 말과 글은 생각과 뜻을 담는 도구이자 정신이기도 하니 쉽고 바르고 모두가 쓰기 좋은 말이어야 하지.

최현배 그 문제로 많이 싸웠어요. 남한에서는 스승님이 쓰신 대로 홀소리, 닿소리라고 썼는데 지금은 학교에서 모음, 자음이라는 한자어를 쓰고 있어요. 한자 용어파와 순우리말 용어파로 나뉘어 투표를 했는데 한 표 차로 져서 그렇게 되었지요.

김두봉 그건 북한도 마찬가지예요. 아직도 자음, 모음이라고 하지요.

주시경 참으로 안타까운 일일세. 내가 특별히 아끼는, 사전을 뜻하는 말 '말모이'도 잘 쓰지 않잖아. 말모이는 우리말을 모두 모아 놓은 것이니 그것이 바로 우리 문화요, 역사요, 삶이지. 그러니 되도록 쉬운 말인 토박이말을 살려 쓰면 좋을 텐데 말이야.

김두봉 맞습니다. 스승님께서는 『말모이』 편찬에도 힘을 많이 쓰셨지요. 그런 스승님이 계셨기에 사람들이 스승님의 뜻을 따라 토박이말 살리기 협회도 만들고 한글도 지키고 가꾸는 것이지요.

최현배 스승님께서 『말모이』 편찬을 끝내지 못하고 돌아가셔서 많이 안타까웠어요. 그 뒤 스승님의 제자들이 모인 조선어 학회에서 1957년에 6권으로 완성했어요.

김두봉 북한도 나름대로 우리말 사전을 만들었어요. 지금은 남과 북이 갈라져 있지만 말과 글이 하나니까 언젠가는 꼭 하나가 될 거라 믿어요.

주시경 남과 북이 다 함께 모여 한글날을 기리는 날이 오면 좋겠네.

● 『독립신문』 창간호

우리나라 최초의 한글 신문으로 사람들의 생각을 깨우쳐 나라가 발전하는 데 큰 역할을 했다. 다양한 한글 광고를 실어 볼거리를 제공하기도 했으며, 한글을 아는 사람이면 누구나 읽을 수 있어 인기가 많았다.

03

최현배

1894~1970년

한글만쓰기
펼침상

"현대는 민중의 시대요, 한글은 민중의 글자다."

★ 특기

한글
연구

토박이말
만들기

★ 경력
- 한글 전용을 실천하기 위해 한글 운동에 온 힘을 기울임
- 한글 맞춤법 통일안 제정
- 교과서에 한글 전용 및 가로쓰기 도입
- 『우리말본』, 『한글갈』, 『우리말 존중의 근본 뜻』 등을 펴냄

★ 기타
- 한글의 기계화에도 관심이 많았음
- 타협을 모르고 대쪽 같았던 성품

귀에 쏙쏙 들어오는
토박이말의 대가

✦ ✦ ✦

『우리말본』과 『한글갈』을 세상에 내놓다

1937년 찬 바람 사이로 아지랑이가 피어오르는 봄날, 조선어 학회 사무실로 사람들이 하나둘씩 모여들었다. 조선어 학회를 이끌어 온 외솔 최현배의 『우리말본』이 출판된 날이었다. 『우리말본』은 현대 문법의 토대가 된, 무려 1200쪽에 이르는 방대한 책이다. 주시경의 『국어 문법』이 세종 이후 처음으로 우리말을 과학화한 책이라면, 최현배의 『우리말본』은 우리말 문법을 체계화하여 과학화를 완성한 책이다.

조선어 학회 간사장인 이극로가 최현배에게 축하 인사를 건넸다.

"주시경 선생님의 『국어 문법』을 제대로 이은 대작을 펴내셨구려."

"이 모든 게 주시경 선생님의 가르침 덕분이지요. 말본 짜임새는 조금 다르지만 기본 정신은 같답니다."

최현배가 흥분된 마음을 가라앉히며 대답했다.

"선생님께서 우리말의 규칙을 세우셨어요."

조선어 학회에서 늘 앞장서서 일하는 이윤재도 한마디 더했다.

"'명사, 동사, 부사'와 같은 어려운 품사 이름 대신 '이름씨, 움직씨, 어찌씨'와 같은 쉬운 토박이말로 바꿔 놓으니 쉽게 이해할 수 있지요."

"토박이말을 살려 쓰니 귀에 쏙쏙 들어와 좋습니다. 우리말의 체계를 완성했으니 사전 만드는 일과 우리말 교육을 제대로 할 수 있을 거예요."

그렇게 최현배는 많은 사람들에게 축하 인사를 받으며 이야기를 나누었다. 그리고 사람들이 모두 모이자 최현배가 단상에 올라 말문을 열었다.

"돌아보건대, 제가 조선말의 말본을 배우기 시작한 지 스물일곱 해만입니다. 이 책을 짓기 시작한 지 열일곱 해 만입니다. 또 박기를 시작한 지 한 해 반 만입니다. 그간에 저는 인간으로서 그리 평탄하지 못하게 살았습니다. 바람이 불거나 비가 오거나 세상이 어지럽거나 이 일을 다 이루지 못할까 근심할 뿐이었습니다. 그런데 이렇게 오늘 다 이루었으니 스스로 안심하고 기쁘고 감사할 따름입니다."

최현배의 말에 왁자지껄했던 분위기가 숙연해졌다.

"제가 평생 동안 골몰한 소원은 이 책에서 끝나는 것이 아니라, 이 책이 조선말, 조선글의 끝없는 발전에 한 줌의 거름이 되게 함에 있습니다."

최현배의 말이 끝나자 사람들은 눈시울을 붉히며 손뼉을 힘껏 쳤다.

이렇듯 1937년은 『우리말본』을 완성한 가슴 벅찬 해였지만 일본은 중일 전쟁을 일으키더니 우리말 우리글 사용과 교육을 아예 금지하고 말았다. 1940년에는 '일본식 성명 강요' 법령을 발표하고, 『조선 일보』

와 『동아 일보』 등 신문을 강제로 폐간하면서 우리의 말과 글을 말살하는 정책을 밀어붙였다. 하지만 최현배는 아랑곳하지 않고 우리의 말과 글을 연구하고 교육하며 조선 정신을 이어 나갔다.

"이럴 때일수록 우리의 말과 글을 지켜야 해. 마침 안동에서 『훈민정음』 해례본 원본이 발견되었으니, 우리 한글의 역사를 자세히 밝혀야겠다."

최현배는 우리말 우리글의 역사와 혼을 되살리기 위해 『한글갈』을 펴내는 일을 서둘렀다. 그렇게 해서 『훈민정음』에 관한 이론적, 역사적 문제를 체계적으로 다룬 『한글갈』이 세상의 빛을 보게 되었다.

한글 전용으로 가는 길을 닦다

1945년 8월 15일, 드디어 일본에 빼앗겼던 나라의 주권을 되찾았다. 광복 직후 최현배는 미 군정청의 요청으로 문화 교육부 편수국장을 맡아 교과서 만드는 일에 매달렸다.

"한자 없이 우리말을 배우는 한글 전용 국어 교과서를 만들어야겠어."

최현배는 『한글 첫걸음』, 『한글 교수 지침』, 『초등 국어 교본』 등 교과서 12종을 펴냈고, 한글 전용이 뿌리내릴 수 있게 터전을 마련했다.

이제 막 초등학교에 입학한 학생들은 최현배가 펴낸 교과서를 보며 한글 공부를 했다.

"바둑아 바둑아 이리 오너라. 나하고 놀자."

초등학교 교실에서 국어 교과서를 읽는 어린이들의 목소리에 정겨운 이야기가 흘러넘쳤다.

그러던 어느 날 문화 교육부에서 교과서 편수 회의가 열렸다.

"한글 전용도 좋지만, '가감승제'라는 말을 한글로만 쓰면 금방 뜻을 알 수 없습니다."

한글 전용을 반대하는 위원의 말에 또 다른 의원도 맞장구를 쳤다.

"맞습니다. 괄호 안에라도 한자를 넣어야 합니다."

위원들의 말에 최현배가 한숨을 내쉬며 대답했다.

"그럼 '가감승제'라는 말은 평생 한자와 함께 써야 합니까? 그리고 한자를 모르면 한자를 함께 써도 아무 의미가 없잖습니까?"

"세상을 살려면 그 정도 한자는 누구나 알아야지요."

한글 전용을 반대하는 위원들은 당연하다는 듯 말했다.

"한자 공부와 한글 전용은 별개의 일입니다. 한자 없이도 쉽게 읽고 이해하는 게 한글 전용의 목표지요. 가감승제가 무엇인가요?"

"그야 더하기, 빼기, 곱하기, 나누기지요."

"그럼 그대로 쓰면 되지 않습니까?"

최현배의 말에 한자 병기를 주장했던 위원의 눈이 휘둥그레졌다.

"말이 길어지는데요."

최현배는 예상했던 대답이라는 듯 자신 있게 말했다.

"말이 조금 길어지긴 해도 가감승제 옆에 번거롭게 한자까지 쓴 것을 합치면 큰 차이가 없지요."

최현배의 말에 한글 전용을 반대하던 위원들은 아무 대답도 못 했다.

"그리고 설령 조금 더 길어진다 해도 그 어려운 한자를 배워 이해하는 것보다 낫지 않겠습니까?"

그제야 위원들은 최현배의 말을 인정했다.

최현배는 세종이 꿈꾸었던 것처럼 한글로 누구나 쉽게 소통하기를 바랐다. '사다리꼴', '세모꼴'처럼 그림꼴을 나타내는 말, '물살이', '꽃받침'처럼 생물을 나타내는 말, '반올림표, 반내림표'처럼 음표를 나타내는 말 등 쉽고 재미있는 토박이말을 만들려고 끊임없이 연구하고 노력했다.

한글 운동가 최기호가
최현배를 만나다

최기호　저는 외솔회 회장도 하고 외솔상을 받은 최기호입니다. 선생님 덕분에 1948년 10월 9일 한글날을 기념하여, '한글 전용에 관한 법률'이 생겼습니다.

최현배　아, 반갑구먼. 학생 시절 아마 무슨 라디오 프로그램에서 나한테 질문까지 했지. 울란바토르 몽골 대학교 총장까지 지냈으니 이제 말을 놓을 수도 없겠군. 하하. 그런데 한글 전용에 관한 법률을 생각하면 많이 아쉽네. "대한민국의 공문서는 한글로 쓴다. 다만, 얼마 동안 필요한 때에는 한자를 병용할 수 있다."라는 규정 때문에 온전히 한글만 쓰기까지 더 많은 시간이 필요했지.

최기호　1988년 국민 모금으로 한글 전용 신문인 『한겨레』가 창간되었을 때 얼마나 가슴이 벅찼는지 모릅니다. 바로 최현배 선생님과 선생님을 따르는 동지와 국민들의 노력이 결실을 이룬 것이지요.

최현배　한글은 우리의 정신문화이며, 세계 온 인류의 공탑이라네. 또한 우리의 자랑이며, 우리의 무기지. 한글을 사랑하며 부려야 우리의 생명이 뛰놀며, 희망이 솟아나며, 행복이 약속된다네.

최기호   선생님이 쓰신 『글자의 혁명』에서 본 적이 있습니다. 제가 한글학자와 한글 운동가가 된 것도 선생님의 책을 읽은 덕분이었지요.

최현배   참으로 훌륭하네. 한글학자와 한글 운동가라! 주시경 스승님께서 그랬듯이 나도 학문과 운동을 하나로 보았네. 학문을 통해 뿌리를 키우고 운동을 통해 줄기와 가지를 세운 셈이지. 줄기와 가지가 잘 자라야 뿌리가 튼실해지고 뿌리가 튼실해져야 줄기와 가지가 잘 자라는 법 아니겠나? 이제 자네가 주시경 스승님과 내 뜻을 이어 주고 있으니 든든하네.

최기호   부끄럽습니다. 선생님들을 따라가려면 아직 멀었습니다. 선생님들께서는 일제 강점기라는 그 어려운 시대에 우리말 우리글을 살리고 지키기 위해 목숨도 아끼지 않으셨으니까요. 1932년 어느 식당 방명록에 '한글이 목숨'이라는 말씀을 남기셨는데, 그 글은 지금도 후손들에게 귀감이 되고 있습니다.

최현배   그때는 사실 우리 목숨이 일본 놈들 손아귀에 있던 시절 아니었나? 총 들고 하는 독립운동도 중요하지만 우리 말과 글을 지키는 길도 우리 정신과 우리 문화를 지켜 독립을 이루고 목숨을 지키는 길이라고 생각했네.

최기호   네, '말글얼', 다시 말해 말과 글과 얼은 하나라는 말씀이시죠. 그렇게 우리 말글을 지켜 주신 덕에 우리가 진정한 광복을 이루었습니다. 이제 젊은 이들이 선생님 말씀을 되새겨 우리말 우리글을 더욱더 잘 지키고 가꾸면 좋겠습니다.

이극로

1893~1978년

한말글사전
펴냄상

"언어의 흥망은 민족의 흥망."

레이더 차트:
- 두뇌
- 리더십
- 창의력
- 친화력
- 예술성
- 체력

★ 특기

경제학 박사

불멸의 한글 사랑

한글 교육

★ 경력

- 『조선어 사전』 편찬
- 해방 후 한글 사랑이 고스란히 담긴 한글 노래 작사
- 맞춤법과 표준어 제정
- 베를린 유학 시절 대한민국 독립 운동

★ 기타

- 민족이 고루 잘살도록 물불 안 가려서 호가 고루, 물불
- 패션 아이템은 바로 검정 고무신
- 조선 독립 전에는 돈을 벌지 않겠다는 그런 사나이

우리말 사전 편찬의
선구자

✦ ✦ ✦

한글 운동의 스승을 만나다

1919년 3·1운동이 일어난 해, 이극로는 독일계 선교사가 세운 중국 상하이 동제 대학을 다니고 있었다. 그때 이극로는 인생에 많은 영향을 끼친 중요한 사람을 만났다. 바로 주시경의 수제자이자 만주에서 독립운동을 하고 있던 김두봉이었다. 김두봉은 이극로보다 네 살 위였지만 당시 한글학자와 독립운동가로 널리 이름이 알려진 상태였다.

"김두봉 선생님 아니십니까? 이곳에서 선생님을 뵙게 되다니 정말 꿈만 같습니다."

이극로는 김두봉을 보자마자 깍듯하게 인사를 올렸다.

"혹시 이극로 동지? 나도 이 동지를 잘 알고 있소. 군사 지식을 배우려고 러시아까지 갔었다는 얘기를 들었지."

"네. 독립운동을 하려면 무엇보다 군사 지식을 갖춰야 한다고 생각했습니다. 선생님을 뵙게 되면 여쭤보고 싶은 게 있었지요. 선생님께서 1916년에 펴내신 『조선말본』을 본 적이 있습니다. 선생님께서는 우리 말글 연구와 독립운동 중에 무엇이 더 중요하다고 생각하십니까?"

"둘은 별개의 것이 아니니 둘 다 중요하지 않겠소. 우리 말글을 연구하는 것도 독립운동의 하나라고 생각하오."

김두봉의 말에 이극로는 마음속으로 굳게 다짐했다.

'선생님 말씀을 되새겨 우리 말글을 지키기 위해서라면 기꺼이 목숨까지도 바치겠어.'

몇 해 뒤 이극로는 동제 대학의 독일인 교사 소개로 독일의 베를린 대학으로 유학을 떠났다. 그곳에서 경제학과 언어학을 공부하며 한글을 알리기 위해 노력했다.

하루는 동양학부에 다니는 독일인 학생이 이극로를 찾아왔다.

"선생님, 한글이란 글자는 참으로 놀라워요. 독일 알파벳보다 훨씬 빨리 배울 수 있고 발음 나는 대로 글자를 만들었다는 것도 신기해요."

"독일에도 이런 소리글자를 만든 분이 있지 않나요?"

"전화기를 발명한 벨의 아버지를 말씀하시는 건가요?"

"네, 맞아요."

"저도 그분이 만든 글자를 본 적이 있어요. 장애인들을 위해 만들었다고 해요. 그런데 글자가 모두 동글동글해서 알아보기 힘들어요."

"아마 발음 기관을 그대로 그리다 보니 그렇게 됐을 거예요. 한글은 발음 기관을 본떴지만 직선과 원을 이용해 만들어 간결하면서도 알아보기 쉬운 것이지요."

그 뒤 이극로는 서양인 학생들에게 한글을 가르치기 위해 베를린 대학에 조선어과를 개설했다.

"드디어 독일에서도 한글을 가르칠 수 있게 되었어. 하지만 마땅히 교재가 없으니 큰일이군."

이극로는 고민 끝에 중국 상하이에 있는 김두봉에게 편지를 띄웠다.

존경하는 김두봉 선생님, 안녕하셨습니까?

우리말 우리글 연구와 운동을 강조하시던 때가 어제 같은데 벌써 1년이 지났습니다. 아직도 저는 선생님을 만난 날이 생생한데, 선생님은 저를 기억하고 계시는지요?

저는 독일의 베를린 대학에서 경제학을 연구하고 있습니다. 부전공으로 언어학도 공부하고 있습니다. 그러던 중 마침 학교의 도움으로 조선어과를 만들어 한글을 가르치기로 했습니다. 그래서 한글 교재를 펴내려고 하는데 이곳에서는 한글 활자를 구할 수가 없어서 이렇게 선생님께 급히 부탁을 드리게 되었습니다.

상하이에서 김두봉은 이극로의 편지를 받고 옛 생각에 잠겼다.

"역시 이 친구 눈빛이 예사롭지 않더니만 독일까지 가서 큰일을 하는구먼."

김두봉은 서둘러 한글 자모 한 벌을 챙겨 보냈다. 이극로는 김두봉이 보낸 한글 활자를 받고는 눈시울이 뜨거워졌다.

"김두봉 선생님도 나를 잊지 않으셨구나."

이극로는 독일 국립 인쇄소의 도움을 받아 교재로 맨 먼저 『허생전』을 인쇄했다. 이는 서양에서 찍은 최초의 한글 활자가 되었다.

한글 사전 편찬으로 독립운동을 펼치다

이극로는 독일에서 경제학 박사 학위를 받고 영국에서 음성학 연구를 한 뒤 아일랜드와 미국을 거쳐 1929년 1월 부산에 도착했다.

"아일랜드도 영국의 지배를 받으니 자신들의 말과 글을 잊어버리고 영어를 쓰게 되었지. 우리도 일본의 지배를 받고 있으니 우리의 말과 글을 지켜 내지 않으면 아일랜드처럼 되고 말 거야. 우리 말글 연구와 통일이 무엇보다 중요한 일이지."

이극로는 전 세계를 돌아다닌 경험을 바탕으로 우선 사전 편찬에 힘을 쏟기로 마음먹었다. 그래서 조선어 연구회에 가입하고 서둘러 조선어 사전 편찬회를 만들었다. 조선어 사전 편찬회 첫 회의에서 이극로는 먼저 말문을 열었다.

"현대 문명의 모든 것은 다 표준화하고 있습니다. 철도 궤도의 폭은 전 세계에서 공통화하였으며, 작은 쇠못부터 큰 기계에 이르기까지 어느 것 하나 국제적으로 표준이 없는 것이 없습니다. 더욱이 한 민족 사회에서 생각을 나타내고 전달하는 언어야말로 통일된 표준이 있어야 합니다. 그러므로 각 민족은 표준어 통일에 노력하고 있습니다."

이극로의 표정과 목소리는 비장했다. 조선어 연구회 핵심 연구원인 신명균, 권덕규, 최현배, 이윤재도 이극로와 생각이 다를 리 없었다. 다음으로 최현배가 이어 말했다.

"동지 말이 맞소. 주시경 스승님도 말모이를 만드는 것이야말로 우리의 얼을 지키는 지름길이라 거듭 강조하며 애쓰시다가 돌아가셨으니 우리가 그 뜻을 이루어야만 하오."

이극로를 주축으로 조선어 사전 편찬회 회원들은 사전 만드는 일에 매진했다.

"우리말은 기본 먹거리조차 제각각 불립니다. 한번은 평안북도 어느 집에서 아침을 먹는데, 주인장한테 고추장을 찾았더니 못 알아듣더군요. 알고 보니 고추장을 그곳에선 댕가지장이라고 부르더군요. 그러니 우선 맞춤법과 표준어를 정해야 합니다."

"옳은 말씀입니다. 사투리는 사투리대로 소중하지만 서로 통할 수 있는 표준말이 있어야지요."

하지만 사전 만드는 일은 생각만큼 쉽지 않았다. 낱말을 하나하나 풀이하는 과정도 어려웠지만 들쭉날쭉한 맞춤법과 표준어부터 정리하는 일도 만만치 않았다.

"종다리, 종달새, 노고지리, 무당새, 깝죽새 가운데 어떤 말을 표준어로 정해야 하나요?"

표준어를 정하는 과정에서 서로 논쟁이 벌어지는 일이 많았다. 그럴 때마다 이극로는 중재 역할을 맡으며 합리적인 결론을 이끌어 냈다. 이런 노력 끝에 1936년 무렵 표준말 모음집이 선을 보였다. 하지만 2년 뒤 일제는 조선말 사용을 전면 금지하고 일본말만을 사용하게 하는 국어(일본어) 상용 정책을 시작했다.

"이럴 때일수록 우리 조선어 학회 동지들이 똘똘 뭉쳐야 합니다."

이극로와 회원들은 일본의 감시망을 피해 조선어 사전 원고를 완성해 갔다. 하지만 일제의 탄압과 감시는 날이 갈수록 심해졌고, 일제는 조선어 학회 사건이라는 명목 아래 조선어 학회 핵심 일꾼들을 모두 잡아들였다. 이극로는 주동 인물로 잡혀 극심한 고문을 받았다. 그리고 결국 해방이 되어서야 풀려났다.

이극로는 감옥에서 나오자마자 사전 원고부터 찾았다. 하지만 어디에서도 보이지 않았다. 이극로를 비롯한 조선어 사전 편찬회 회원들은 눈앞이 캄캄했다.

"아, 어떻게 만든 사전인데…… 조선의 혼을 담은 원고인데……."

탄식에 탄식을 거듭하며 절망하고 있을 때였다.

"서울역 운송부 창고에서 원고가 발견되었다고요?"

사전 원고를 찾았다는 소식에 이극로와 조선어 사전 편찬회 회원들은 서로 부둥켜안고 기쁨의 눈물을 흘렸다.

독립운동가 이우식이
이극로를 만나다

이우식 이게 얼마 만이더냐? 남과 북이 나뉘는 바람에 생이별을 해야 했구나.

이극로 해방 후 제가 북한에 남게 되어 형님이 돌아가셨을 때도 가 보지 못하고 이제야 뵙게 되네요. 형님 도움이 없었더라면 제가 독일에서 공부도 못 했을 테고 조선어 학회에서 사전도 펴내지 못했을 거예요.

이우식 자네는 어릴 때부터 영특했는데 부모님이 일찍 돌아가시는 바람에 뒷받침해 줄 사람이 없지 않았는가. 나야 만석꾼의 아들로 태어났으니, 나에게 있는 돈을 없는 사람과 함께 나눠 쓰는 게 당연하지.

이극로 아, 형님은 지금도 변함없이 마음도 말씀도 따뜻하셔요. 제가 상하이 동제 대학에 다닐 때도 베를린 대학에 다닐 때도 학비며 생활비며 그 많은 돈을 지원해 주시고, 1929년에 귀국한 뒤 나라 곳곳을 시찰할 때도 경비를 대 주셨고요.

이우식 나는 자네를 돕는 게 나라의 독립을 위한 길이라 생각했어. 자네는 학업을 이어 가면서 중국과 베를린에서 우리말을 지키며 독립운동을 펼쳤지.

이극로 사전을 편찬할 때 맞춤법과 표준어를 정리하는 작업도 어려움이 많았지만, 무엇보다 돈이 많이 필요했어요. 그때 형님께서 나서서 후원회를 조직하고 사전 편찬 경비로 여러 차례 거금을 내놓으셨죠. 그 뒤 원고 정리가 끝날 때까지 매달 자금을 대 주셨고요.

이우식 하하. 우리의 독립을 위해 우리말 사전 편찬은 중요한 일이었으니까.

이극로 그뿐 아니라 독립운동 자금도 꾸준히 대 주시고, 1932년부터 발간해 온 잡지 『한글』의 발행비도 모두 내주시고요. 가난한 학자들을 후원하기 위해 양사원을 설립하는 일에도 앞장섰지요.

이우식 그 무렵 일제의 탄압에 우리 모두 끌려가 옥살이를 하고 나왔었지. 모진 고문 때문에 죽은 친구들도 있고. 그 뒤 다행히 일제가 재판 때 쓸 증거 자료로 법원에 보내려던 것이 그곳에 방치되어 사전 원고를 되찾을 수 있었지만.

이극로 하지만 당시 출판사들도 어려움이 많아 선뜻 나서지 못했어요. 출판사에 여러 차례 방문했지만 거절당하기 일쑤였으니까요. 어찌나 화가 나던지 한번은 원고로 책상을 내리치면서 말했죠. "누구 하나 『큰사전』에 관심조차 없으니 해방이 되어 봤자 무슨 의미가 있소! 이 원고를 가지고 일본 놈들을 찾아가 사정을 해야겠소!"라고요.

이우식 자네가 그렇게 끈질기게 노력했으니 출판사도 우리의 뜻에 공감할 수

밖에 없었지. 우여곡절 끝에 1947년 10월 9일 한글날을 기념해 을유 문화사에서 우리나라 최초의 국어사전인『큰사전』을 펴낼 수 있었어.

이극로 그렇게 만든『큰사전』은 남북한 국어사전의 뿌리가 되었고, 우리 국어의 발전에 큰 도움을 주었죠.

이우식 그래. 광복도 맞고 우리말 사전도 펴냈는데, 우리 민족은 남과 북으로 나뉘어 버렸어. 민족 통일을 보지 못하고 눈을 감은 게 안타깝기만 해. 해방 후 한글날을 기념해서 자네가 만든 「한글 노래」가 귓가에 맴도네.

이극로 우리 시대에는 남과 북으로 갈라져 하나가 되지 못했지만 한글이 있는 한 언젠가는 반드시 통일이 되리라 믿어요.

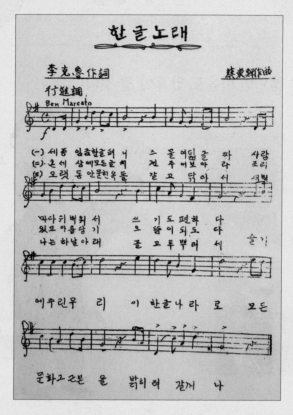

세종 임금 한글 펴니 스물여덟 글짜 사람마다 쉬 배워서 쓰기도 편하다
슬기에 주린 무리 이 한글 나라로 모든 문화 그 근본을 밝히러 갈꺼나
온 세상에 모든 글씨 견주어 보아라 조리 있고 아름답기 으뜸이 되도다
오랫동안 묻힌 옥돌 갈고닦아서 새 빛나는 하늘 아래 골고루 뿌리세

* 그 당시 표기법 그대로임(『여성 문화』 1945년 12월 1일).

박두성

1888~1963년

한글밝은
눈빛상

"배우지 않으면 마음도 암흑이 될 것이다."

★ **특기**

한글 점자
개발 및
교육

시각
장애인
교육

★ **경력**
 – 한글 점자인 훈맹정음 창제
 – 한글 점자로 『조선어 독본』, 『신약 성서』 등을 펴냄
 – 해방 이후 한글 점자 투표를 승인받아 시각 장애인들의 사회 참여 독려

★ **기타**
 – 시각 장애인들을 위해 집에 커다란 태극을 그려 놓음
 – 평생 쓰다, 달다, 춥다, 덥다 등의 말을 하지 않음

여섯 개의 점으로
어두운 세상을 밝힌 길잡이

＊ ＊ ＊

여섯 개의 점으로 어두운 세상에 빛을 선물하다

박두성은 강화도 마을의 가난한 집 큰아들로 태어났다. 어릴 적부터 부모님을 도와 농사일을 하는 든든한 아들이었고 동생 여덟을 돌보는 의젓한 맏형이었다.

가난하고 어려운 살림이었지만 새벽에 일어나 일을 해 놓고 동생들과 함께 서당에 가서 글을 배울 정도로 공부를 게을리하지 않았다. 이동휘 선생이 세운 보창 학교에 다니며 신학문을 익히고, 한성 사범 학교를 다니며 교사의 꿈을 키웠다.

1913년, 박두성은 조선 총독부가 설립한 제생원 맹아부의 교사로 발령을 받았다.

제생원 첫 출근 날, 박두성은 운동장에 삼삼오오 모여 있는 학생들을 보며 깊은 생각에 잠겼다.

'두 눈이 멀쩡해도 살기가 어려운 세상인데 앞이 안 보이는 아이들은 어떻게 살아가야 하나.'

박두성은 맹아부 학생들에게 일본 점자를 가르치면서 틈틈이 주산과 우리말을 가르쳤다.

'앞을 못 보는 사람이지만 수입과 지출을 정확히 셈할 줄 알아야 살아갈 수 있지.'

박두성은 맹아부 학생들의 생활 지도를 담당하면서 수저 잡는 법과 바른 자세도 가르쳤다. 하지만 학생들을 가르치는 일은 쉽지 않았다. 일본어로 수업을 하고 일본 점자책으로 배우다 보니 학생들은 쉬운 용어도 어렵게 느끼고 이해하지 못했다.

'안타깝구나. 말과 글이 달라 뜻이 통하지 않는구나. 한글 점자가 있으면 쉽게 배우고 이해할 텐데.'

하지만 그 무렵 3·1운동이 일어났고 일본의 탄압은 날이 갈수록 심해졌다.

"앞으로는 우리 학교에서도 조선어를 가르칠 수 없소!"

일본인 교사의 말에 박두성은 소리 높여 말했다.

"눈이 멀쩡한 사람이 그렇게 마음이 어두워서 되겠소? 단지 눈이 멀었다고 쓸모없는 인간으로 만들 수는 없지 않소? 눈 밝은 사람은 노력하면 얼마든지 글을 읽고 쓰겠지만 눈먼 사람에게 조선말까지 빼앗으면 저 아이들은 부모와 형제자매와 어떻게 이야기를 나눈답니까? 저 아이들에게 장님에 벙어리까지 되라는 말이오?"

박두성의 말에 일본인 교사는 끽소리도 못 했다.

일제 강점기였지만 박두성은 시각 장애인들이 제대로 교육을 받고 인간답게 살기를 바랐다.

"우리말, 우리글이 탄압받는 시대지만 한글 점자를 만들어 눈먼 사람들에게 새로운 세상을 열어 줄 것이다."

1923년, 박두성은 제생원 맹아부 제자들과 함께 '조선어 점자 연구 위원회'를 비밀리에 만들고 한글 점자 연구에 몰두했다.

"한글 점자를 만들려면 세종 대왕이 한글을 만든 기본 원리부터 공부해야 할 것이다."

"선생님, 손끝으로 만졌을 때 점의 개수가 적을수록 읽기도 쉬울 거예요."

처음 만든 한글 점자는 자음 세 점, 모음 두 점으로 이루어진 3.2점식 점자였다. 하지만 첫소리 자음과 받침으로 쓰는 자음을 구분하는 게 쉽지 않았다.

박두성은 밥을 먹을 때도 심지어 잠자리에 누워서도 쉬지 않고 손가락을 붙였다 떼었다 했다.

"가로로 두 점씩, 세로로 세 줄을 놓아 여섯 점이 서로 겹치지 않게 만들어 봐야겠구나. 두 점으로 첫소리 자음과 받침 글자를 만들고, 세 점으로 모음을 만들면 되겠어."

세 해를 꼬박 연구한 끝에 한 점을 쓴 것부터 여섯 점을 모두 쓴 것까지 예순세 가지 점자를 만들 수 있었다. 어두운 세상에 빛이 되어 줄 한글 점자 훈맹정음이 탄생하는 순간이었다.

한글 점자 교육을 위해 한평생을 바치다

박두성은 1926년에 한글 점자 훈맹정음을 완성한 뒤 시각 장애인들에게 점자를 알리기 위해 온 힘을 쏟았다.

"누구든지 배워야 하지만 눈이 먼 사람은 멀쩡한 사람보다 더 배워야 한다."

박두성은 시각 장애인을 만날 때마다 용기를 북돋았다.

그뿐만이 아니라 점자 보급을 위해 육화사를 세워 점자 통신 교육을 시작했다. 점자를 배우고 싶어도 앞이 보이지 않아 학교를 다니지 못하는 사람들에게 점자 설명서와 점자 용지와 점자책을 우편으로 보내 주었다.

점자를 익히게 하기 위해 교육책을 펴냈고, 점자를 깨친 시각 장애인들을 위해 소설이나 교양 관련 책도 펴냈다.

박두성은 낮이든 밤이든 하루도 쉬지 않고 점자 교육을 하고 점자책을 펴내는 데 매달렸다. 그러던 어느 날 통신 교육을 받는 학생에게 편지가 한 통 왔다. 편지에는 눈이 멀어 사람 노릇을 못하니 죽고 싶다는 이야기가 담겨 있었다. 편지를 다 읽고 난 박두성은 가슴이 철렁 내려앉았다.

'눈이 사람 노릇을 하는 게 아니라는 사실을 알려 주어야겠어. 정신이 바르고 영혼이 맑으면 잘못된 생각을 품지 않을 거야.'

그날 이후 박두성은 성경을 점자로 옮겨 눈이 어두운 만큼 마음도 캄캄한 사람들을 깨우쳐야겠다고 생각했다.

하지만 1920년대는 물자가 풍부하지 않았던 때라 점자책을 만들 종이를 구하는 것이 무척 어려웠다. 박두성은 종이를 구할 수 있는 곳이라면 어디든 가리지 않고 달려갔다. 관공서나 은행을 다니며 오래된 문서들을 얻어 오기도 했다.

하루는 중앙청에서 얻어 온 누렇게 바랜 출근부와 장부들을 책상에 쌓아 놓은 것을 보고 어린 딸이 물었다.

"아버지, 이런 헌 종이들을 뭐에 쓰시려고요?"

박두성은 두 눈을 반짝이며 대답했다.

"정희야, 이건 그냥 버려질 헌 종이가 아니야. 눈먼 사람들에게 빛이 되어 줄 새 종이나 다름없단다. 앞으로 네가 아버지를 도와 책을 좀 읽어 줄 수 있겠니?"

"그럼요. 아버지가 하시는 일이고 장애인들을 위한 일인데 제가 할 수 있는 일이라면 기꺼이 도울게요."

박두성의 딸은 이제 갓 초등학교에 입학한 어린아이였지만 한글을 깨쳤고 책 읽는 것을 좋아했다.

박두성은 늦은 밤까지 점자를 찍느라 아연판을 두드렸다.

"오늘은 마태복음 6장 21절을 읽을 차례인 것 같구나."

"네, 아버지. 네 보물이 있는 그곳에는 네 마음도 있느니라……."

박두성의 딸은 아버지 곁에서 낭랑한 목소리로 성경을 읽었다. 하지만 여덟 살 아이가 밤늦게까지 성경을 읽는다는 것은 쉬운 일이 아니었다. 글씨도 작고 재미도 없었지만 박두성의 딸은 아버지를 도와야겠다는 마음에 졸린 눈을 비벼 가며 성경을 읽어 내려갔다.

세종의 딸 정의 공주가
박두성을 만나다

박두성 오백 년이라는 세월, 시대를 뛰어넘어 공주님과 이야기를 나눌 수 있어 무척 기쁩니다.

정의 공주 그러게요. 선생님의 일생을 살펴보니 세종 임금님과 비슷한 점이 많아 깜짝 놀랐답니다.

박두성 하하, 그런가요?

정의 공주 세종 임금님께서는 우리말을 옮길 수 있는 우리글이 없는 것을 무척이나 안타깝고 답답하게 생각하셨어요. 마치 중국 글을 빌려다 쓰니 중국의 속국으로 살아가는 것만 같다는 말씀을 하셨지요.

박두성 저도 제 딸 정희에게 어떤 민족이 노예가 되더라도 자신의 말을 잘 간직할 수만 있다면 감옥의 열쇠를 쥐고 있는 것이나 마찬가지라고 자주 이야기했지요. 글을 모르는 사람은 시각 장애인과 다를 게 없습니다. 시각 장애인들에게 한글 점자가 없었다면 제대로 배우지 못했을 거예요. 그러면 일도 할 수 없고 떳떳하고 바르게 살아갈 수가 없어요. 세종 임금님도 백성을 사랑하는 마음에서 한글을 만드셨던 거죠.

정의 공주 선생님 말씀이 맞아요. 세종 임금님은 한글을 만드신 뒤 『삼강행실도』를 한글로 번역하여 백성들에게 널리 알려 바른 삶을 살도록 하셨지요. 선생님도 시각 장애인들을 위해 많은 책을 점자로 옮기신 걸로 아는데요.

박두성 『천자문』이나 『조선어 독본』과 같은 교육책을 점자로 가르쳤지요. 점자를 익힌 사람들을 위해서는 『임꺽정』, 『명심보감』, 『이광수 전집』과 같은 소설책과 교양책도 펴냈습니다. 당시는 일제의 탄압이 심한 때라 한글 자체를 쓰지 못하게 했어요. 그런 상황에서 한글 점자로 『조선어 독본』을 출판한 것은 가슴 벅찬 일이었지요. 한글을 쓰지 못하던 때에 한글을 쓰고, 비록 점자지만 한글로 교육했으니 세종 임금님도 칭찬해 주시지 않을까 생각해 봅니다. 하하.

정의 공주 그런 과정을 겪는 동안 어려운 점이 많았을 것 같아요. 특히 기억에 남는 일이 있다면요?

박두성 열네 살 무렵 나라에 극심한 가뭄이 들어 돈을 벌려고 일본으로 간 적이 있어요. 그때도 눈병이 나서 되돌아와야 했는데 점자 연구를 하면서 눈이 더 나빠졌지요. 점자를 찍을 수 없을 정도로 앞이 안 보이게 되자 하늘이 무너지는 기분이었어요. 다행히 회복하여 점자 연구를 이어 갔고 1926년 훈맹정음이 완성되었지요.

정의 공주 세종 임금님도 책을 너무 많이 읽어 눈병이 나고 마셨어요. 하지만 밤을 새워 가며 한글을 만드셨지요. 그만큼 두 분 모두 몸을 아끼지 않고 일을 하셨던 거지요. 또 세종 임금님께서 집현전 여덟 학사와 함께 『훈민정음』 해례본을 만드셨던 것처럼 제생원 맹아부 제자들과 함께 '조선어 점자 연구 위원회'를 만들었다는 이야기도 들었어요.

박두성 허허, 그렇습니다. 제 딸과 아내도 곁에서 많은 도움을 주었지만 제자들이 도와준 덕분에 훈맹정음을 만들고 널리 알릴 수 있었지요. 노학우, 유도윤, 이종덕, 전태환, 이종화, 김영규, 김황봉, 황이채, 이렇게 여덟 제자를 모아 비밀리에 만들었어요. 점자를 만든 뒤에는 많은 사람들에게 점자 교육을 하기 위해 전국 곳곳에 간사들을 두기도 했어요. 제자들 중에는 다시 맹인 학교 교사가 되어 아이들을 가르치기도 하고, 사회의 훌륭한 지도자가 되기도 했지요.

박두성이 훈맹정음을 만들기 위해 직접 집필한 한글 점자 설명서 원고 중 일부다.

06

전형필

1906~1962년

한글국보
지킴상

"훗날 좋은 시절이 오면 너희들이 세상에 알려라. 학문이 깊어 아름다운 활자로 책을 만들어 냈음을…."

★ 특기

문화재
감식

문화재
수집

★ 경력

- 『훈민정음』 해례본 원본 소장
- 『훈민정음』 해례본 영인본 제작 도움
- 간송 미술관을 세워 『훈민정음』 해례본 원본 보존

★ 기타

- 10만 석 부호가의 상속권자로 전 재산을 우리 문화재를 지키는 데 바침
- 문화재 구입은 싼값이 아닌 제값으로
- 국보 12점, 보물 10점 보유

온몸으로 훈민정음을 지켜 낸
문화재 거인

✦ ✦ ✦

일제 강점기에 『훈민정음』 해례본을 지켜 내다

전형필은 우리나라에서 손에 꼽히는 부잣집 아들로 태어났다. 그런 덕분에 젊은 나이에 종로 땅 10만 석을 상속받을 만큼 돈이 많았다. 하지만 전형필은 스승이자 독립운동가였던 오세창의 영향으로 문화재를 감식하는 눈을 키우고 우리 문화재를 지키는 일에 앞장섰다. 1938년에는 우리나라 최초의 사립 박물관인 보화각을 신식 건물로 지을 정도로 전 재산을 문화재를 지키는 데 아낌없이 투자했다.

1939년 여름 장마가 끝나 갈 무렵, 전형필은 더위도 식힐 겸 오랜만에 한남 서림이라는 고서점에 들렀다. 서점에 앉아 한창 책을 훑어보는데, 책 거간꾼으로 유명한 상인이 바삐 지나는 모습이 눈에 띄었다.

'저렇게 서둘러 가는 것을 보니 좋은 물건이 들어온 게 틀림없어.'

전형필은 재빨리 상인을 불러 세웠다.

"이보게, 어디를 그렇게 급히 가시오? 땀이나 좀 식히고 가구려!"

상인은 우리 문화재에 대한 전형필의 사랑이 남다르다는 것을 잘 알고 있었다. 그래서 뜸을 들이다가 솔직히 털어놓을 수밖에 없었다.

"실은 경상도 안동에서 기막힌 물건이 나타났다는 정보가 들어와 급히 가는 길이었습니다."

"기막힌 물건이라?"

전형필이 상인에게 바짝 다가가자 상인이 주변을 살피며 낮은 목소리로 말했다.

"『훈민정음』해례본 원본이 나왔답니다."

상인의 말에 전형필의 눈이 휘둥그레졌다.

"방금 무엇이라고 했소?"

상인은 다시 한번 주변을 살피고는 조금 더 가까이 다가가 말했다.

"선생님이 애타게 찾고 있던 『훈민정음』해례본이 발견되었다고요."

그 당시에는 한글 창제 원리를 설명한 『훈민정음』해례본의 원본이 존재하지 않아서 『세종실록』1446년 9월 29일자 기록과 『훈민정음』해례본의 일부를 언해한 언해본을 통해서만 알 수 있었다.

전형필은 쿵쾅쿵쾅 뛰는 가슴을 억누르며 차분한 목소리로 말했다.

"원본이 틀림없으면 무슨 노력을 해서라도 살 테니 구해 오시오."

전형필은 단호하게 말했지만 그때는 서슬이 퍼런 일제 강점기였다. 우리말 우리글의 사용과 교육을 금지했던 때라 『훈민정음』해례본을 구하기까지는 1년이 넘는 시간이 필요했다.

1940년 늦봄 어느 날, 상인이 다시 전형필을 찾아왔다.

상인은 난처한 표정을 지으며 전형필에게 속삭였다.

"책 주인이 값을 천 원씩이나 불렀다고 합니다."

그 당시 천 원이면 집 한 채를 살 수 있었다. 하지만 전형필은 호탕하게 웃으며 말했다.

"그랬군. 그런데 우리의 최고 문화재를 그렇게 싼값에 사서야 되겠소? 귀한 물건에 걸맞게 제값을 주고 사야지."

전형필은 곧바로 아랫사람을 시켜 만 천 원을 준비하게 했다.

"책 주인에게 만 원을 주시오. 천 원은 당신 수고비로 받으시오."

그렇게 해서 전형필은 『훈민정음』 해례본을 소장하게 되었다. 그때는 일본이 태평양 전쟁을 일으켜 마지막 발악을 하던 때였다. 일본은 일제 강점기에 우리 문화재를 빼앗아 불사르거나 일본으로 빼돌렸다. 전형필이 아니었다면, 『훈민정음』 해례본 원본은 일제에 의해 사라졌을 것이다.

『훈민정음』 해례본을 영인본으로 제작하다

1946년 새해가 밝았을 때, 조선어 학회 회원들이 보화각으로 전형필을 찾아왔다.

"어서들 오십시오."

전형필은 회원들을 반갑게 맞았다.

"네, 별고 없으시지요. 간송께서 우리 문화재를 지킨 덕에 광복을 맞은 나라도 더욱 빛나는 것이지요."

"별말씀을요. 조선어 학회 선생님들은 우리의 말과 글을 지키느라 옥살이까지 하셨는데요. 그에 비하면 저는 아무것도 한 게 없습니다."

"아닙니다. 간송께서 이 보화각 건물처럼 세파에 휘둘리지 않고 당당하게 우리 문화재를 지켜 낸 것이 더 값진 일입니다. 우리가 찾아온 것은 『훈민정음』 해례본을 영인본으로 만드는 것을 허락받기 위해서입니다."

전형필은 잠시 생각하는 듯하더니 이내 웃음을 띠며 말했다.

"저도 『훈민정음』 해례본을 전문 학자들한테는 공개했지만 국민들한테는 보여 주지 못해 고민하던 참이었습니다. 온 국민이 이 보물을 보고 싶어 할 테니까요. 조선어 학회에서 그 일을 맡아 주신다면 고맙지요."

전형필은 『훈민정음』 해례본을 아무한테나 맡길 수 없어 직접 인쇄소에 나와 복사본을 만드는 일까지 거들었다. 그런 헌신적인 도움으로 『훈민정음』 해례본은 1946년 10월 9일 한글날에 영인본으로 출판되었다.

하지만 얼마 지나지 않아 1950년 6월 25일 한국 전쟁이 일어나고 말 았다. 전형필은 피란을 갈 때도 『훈민정음』 해례본을 품속에 넣고 다녔 으며 잠을 잘 때도 베개 삼아 베고 잘 정도로 귀하게 여겼다. 그렇게 노 력한 결과 전형필은 『훈민정음』 해례본을 다시 한번 지켜 낼 수 있었다.

1958년 어느 날, 고서점 통문관을 운영하던 이겸노가 전형필을 찾아 왔다.

"간송 선생님, 1946년에 조선어 학회에서 낸 영인본은 깨끗하게 인쇄 를 하려고 판심을 지우고 복사하다 보니 잘못 영인된 곳이 일부분 있습 니다. 이번에 다시 사진을 찍어 내고 싶은데 선생님께서 도와주시면 좋 겠습니다."

"마침 조선어 학회에서 펴낸 영인본도 구할 수 없다고 하니 다시 영인 본을 낼 수 있다면 좋지요."

"선생님과 뜻이 통하니 참 좋습니다. 이번에 우리 출판사에서 김민수, 이상백 두 학자가 『훈민정음』 해설서를 내는데 사진 영인본이 함께 나 오면 금상첨화가 될 것입니다."

이때도 전형필은 직접 인쇄소에 나가 한 장 한 장 영인하는 일을 정성 스럽게 도왔다. 당시는 흑백으로 인쇄를 하다 보니 원본 그대로 보여 주 는 데 한계가 있었지만 이 영인본 덕분에 한글 연구가 많이 이루어졌다.

한글 신문 김 기자가
전형필을 만나다

김 기자 저는 한글 신문의 김 기자입니다. 특종을 찾느라 늘 발로 뛰고 있지요. 1940년 안동에서 『훈민정음』 해례본 원본이 발견되는 그야말로 기적 같은 일이 있었는데요, 당시 제가 기자였다면 한걸음에 달려가 취재를 했을 것입니다. 그때 이야기 좀 자세히 들려주세요.

전형필 1939년 처음 그 이야기를 들었을 때 초조해서 몇 날 며칠 잠을 못 잤으니 대단한 사건이긴 했죠. 하지만 일제 강점기라 비밀리에 수소문을 해야 했어요. 그때는 발견자인 이용준이 경북 의성 고가라고만 해서 그렇게 알았어요. 나중에서야 경상북도 안동에 사는 서예가 이용준의 처갓집인 광산 김씨 집안에서 가보로 전해져 내려왔다는 사실을 알았죠. 두루마리에 감겨 있는 고색창연한 『훈민정음』 해례본을 본 순간 그 감격은 말로 표현할 수 없을 정도였어요.

김 기자 『훈민정음』 해례본의 상태는 어땠나요? 500년이라는 오랜 시간 동안 훼손되지 않고 잘 보존되었나요?

전형필 처음에는 온전한 형태로 내 손에 들어왔어요. 나중에 최현배 선생의 도움으로 표지와 앞의 두 장이 가짜인 줄 알았어요. 그런 사실을 1942년에 나온 『한글갈』이라는 책에 자세히 써 놓으셨죠. 아마도 이용준 씨가 『조선왕조실록』과 『훈민정음』 언해본을 보고 베껴서 끼워 넣은 듯해요. 그러니 표지를 포함해 두 장, 총 네 쪽이 찢어진 상태였죠. 다행히 찢겨 나간 세종 서문 부분이 『조선왕조실록』과 언해본에 그대로 실려 있어서 복원할 수 있었어요.

김 기자 『훈민정음』 해례본이 발견된 뒤 새로운 사실이 많이 밝혀졌을 텐데요.

전형필 네, 맞습니다. 『훈민정음』 해례본을 발견하기 전에는 한글이 만들어진 배경이나 원리, 반포일 등을 정확히 알 수 없었지요. 그래서 한글이 한자나 몽골어를 모방했다는 이야기도 나돌았고요. 『훈민정음』 해례본 원본이 발견된 뒤 비로소 한글이 사람의 발음 기관을 본떠서 만든 과학적인 글자라는 사실이 밝혀졌습니다.

김 기자 집 열 채를 살 수 있는 거금을 들여 『훈민정음』 해례본을 구입하신 뒤에는 어떤 일들을 하셨나요?

전형필 일단 최고의 서지학자였던 송석하 선생한테 모사(습자지 놓고 베끼기)본을 만들게 했죠. 그 모사본으로 국어학자인 홍기문, 방종현 선생께 부탁해 해례 부분을 번역하여 『조선 일보』에 1940년 7월 30일부터 5회에 걸쳐 연재했지요. 그해 10월 무렵에는 『정음』이라는 잡지에 해례본 전문이 실렸고 12월에는 정인승 선생이 『한글』지에 해례본을 자세히 소개했어요.

김 기자 많은 사람들에게 해례본을 알리기 위한 노력도 끊임없이 하셨군요.

선생님께서 생전에 우리 문화재를 목숨처럼 지켜 오신 덕분에 『훈민정음』해례본 원본은 1962년에 대한민국 국보 제70호로 지정되었고, 1997년에 유네스코 세계 기록 유산으로 등재되었습니다.

전형필 아, 거참 잘됐군요. 앞으로 우리 국민들이 『훈민정음』해례본 원본을 볼 수 있는 기회가 많으면 좋겠어요.

김 기자 한글날 특별 전시가 되면 성북동에 자리한 간송 미술관에 『훈민정음』해례본 원본을 보기 위해 많은 사람들이 줄을 섭니다. 2015년 한글날에는 한글학자 김슬옹 선생이 해설을 쓴 『훈민정음』해례본 복간본이 출간되기도 했어요. 이 모든 것이 선생님이 『훈민정음』해례본 원본을 지켜 내지 않으셨다면 불가능한 일이라 생각합니다.

전형필 우리나라 국민의 한 사람으로서 당연한 일을 했을 뿐입니다.

● 『훈민정음』 해례본 본문

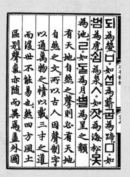

훈민정음을 한문으로 설명한 해설서다. 세종과 집현전 8학사인 정인지, 최항, 박팽년, 신숙주, 성삼문, 이개, 이선로, 강희안이 썼으며, 33장으로 이루어졌다. 1940년에 경상북도 안동에서 발견되었고, 간송 미술관에 보관 중이다.

● 『훈민정음』 해례본 복간본

1946년, 1957년에 이은 세 번째 복간본이 2015년에 출간되었다. 원본에 사용된 한지를 사용하고 전통 제본 방식을 그대로 따라 원형본의 분위기를 최대한 살렸다.

공병우

1906~1995년

한글발명
발전상

> "한글은 금이요, 로마자는 은이요,
> 일본 가나는 동이요, 한자는 철이다."

두뇌 / 리더십 / 창의력 / 친화력 / 예술성 / 체력

★ 특기

눈병
고치기

발명 및
개발

한글
타자기
연구

★ 경력

– 최초의 안과 병원 개원
– 한글로 『소안과학』 펴냄
– 우리나라 최초로 한글 시력 검사표를 만들어 사용
– 초성, 중성, 종성을 빠르고 정확하게 잘 칠 수 있는 세벌식 타자기 보급

★ 기타

– 최초로 콘택트렌즈, 쌍꺼풀 수술 도입
– 1965년 『한국 일보』에서 선정한 한국의 고집쟁이 10명 중 6위

타닥타닥
한글 기계화의 아버지

✦ ✦ ✦

운명적으로 한글학자를 만나다

공병우는 쌍둥이로 태어났다. 하지만 여덟 달 만에 태어난 탓인지 동생은 바로 세상을 떠나고 말았다. 공병우는 어린 시절부터 얼굴이 허여멀끔했지만 속은 그 누구보다도 다부졌다. 일본의 억압 속에서도 일본 사람들한테 지지 않으려고 악바리처럼 공부했다.

그 덕에 공병우는 스무 살이라는 젊은 나이에 의사 시험에 합격했다. 게다가 1938년, 의사가 된 지 12년 만에 일본인 의사들도 세우지 못한 개인 안과 병원을 세웠다.

'공 안과'는 서울 종로에 있는 작은 병원이지만 늘 사람들로 붐볐다.

어느 날 한 중년 신사가 병원 문을 천천히 밀며 들어섰다. 신사는 무명 한복 차림에 두꺼운 천으로 만든 덧신을 신고 있었다. 부리부리한 눈빛이 한눈에도 예사롭지 않아 보였다. 신사는 바로 한글학자 이극로였다.

"어디가 아파서 오셨습니까?"

공병우의 물음에 이극로가 자신의 눈을 가리키며 대답했다.

"눈이 간질간질하고 충혈이 돼서 왔습니다."

공병우가 가까이 다가가 이극로의 눈을 살폈다. 다행히 쉽게 치료할 수 있는 가벼운 증상이었다.

"늘 손을 깨끗이 씻고 안정을 취하시면 금방 나을 겁니다."

이극로는 그제야 안심한듯 이런저런 이야기를 늘어놓았다.

"의사 선생님, 우리 조선의 문자 '한글'에 대해 관심을 가져 본 적이 있습니까?"

"훈민정음, 그러니까 언문을 말씀하시는 거지요? 저희 의사들은 언문을 거의 안 씁니다."

한글이란 말이 생긴 지 오래되었지만 그 당시까지만 해도 언문이란 말을 더 많이 쓰던 때였다.

"역시 그렇군요. 우리가 흔히 말하는 언문인 한글은 세계에서도 보기 드문 훌륭한 글입니다. 그래서 일본 놈들이 못 쓰도록 한글을 더욱 탄압하고 있지요."

"그게 말입니다. 언제쯤 독립이 되어 우리글을 마음대로 쓸 수 있을지 걱정입니다."

이극로는 목소리에 힘을 주어 말했다.

"아니, 독립의 걸림돌은 일본 놈들만 있는 것이 아닙니다. 우리 조선 사람들까지도 자기 나라의 글에 무관심하지요. 한술 더 떠 많이 배웠다는 사람도 아예 한글은 글자가 아닌 양 무시하는 경우가 많습니다. 그러니 어찌 나라를 온전히 살려 낼 수 있겠습니까."

공병우는 고개를 끄덕이며 대답했다.

"스스로를 깔보니 남들이 깔본다는 말이 저에게 뼈저리게 다가옵니다. 사실은 저도 한글을 제대로 배워 본 적이 없습니다."

"우리 조선 사람이 한글을 알아야만 우리 민족이 멸망하지 않습니다. 힘들더라도 한글을 배워 두셔야 합니다."

이극로의 말에 공병우는 가슴이 뜨거워졌다.

'눈을 치료받으러 오셨지만 한글에 대해 까막눈이던 나의 눈을 뜨게 하고 내 민족 문화를 바로 볼 수 있는 시력을 주시는구나.'

그날 공병우는 이극로와의 인연으로 한글에 많은 관심을 갖게 되었다. 의사 일을 제쳐 두고 한글 운동에 앞장설 정도였다.

한글 시력 검사표를 만들다

1938년 5월 어느 날이었다. 그날도 공 안과 대기실에는 많은 사람들이 옹기종기 모여 진료를 기다렸다.

사람들 사이에는 시골에서 올라온 삼식이와 어머니도 있었다. 삼식이 어머니가 얼굴에 땟국이 줄줄 흐르는 삼식이에게 말했다.

"이 병원은 안내문이 한글로 적혀 있어서 좋구먼. 삼식아, 저기 눈 돌림병 안내문 읽을 줄 알지?"

"그럼요, 엄니. 제가 바본가요. 그럼 한번 읽어 볼게요."

삼식이는 안내문 글자를 하나씩 가리키며 큰 소리로 읽었다.

"눈 돌림병 예방하는 법. 늘 손을 깨끗하게 씻는다. 눈을 만지지 않는다."

"옳지. 다른 병원은 죄다 일본어로 적혀 있어 병원만 가면 주눅이 드는데, 여기는 한글로 적혀 있으니 뭔 얘긴지 알 수 있어 속이 다 시원하다."

곁에서 삼식이 어머니의 이야기를 듣던 새댁이 껴들었다.

"이 병원에는 시력 검사표도 한글로 되어 있대요."

삼식이 어머니가 반갑다는 듯 맞장구를 쳤다.

"그러게. 다른 병원에서 눈 검사할 때 일본어 모른다고 얼마나 구박을 받았는지 모른다니까."

"일본어 모르면 그림으로도 한다지만 뭐니 뭐니 해도 한글이 가장 정확하고 좋지요."

삼식이 어머니와 새댁의 이야기를 듣던 남자가 한마디 덧붙였다.

"공 박사님은 환자들에게 치료법을 쉽게 설명해 줘서 빨리 낫게 한대요. 눈병 예방을 알려 주는 저 글 좀 보세요. 애들도 쉽게 이해할 정도잖아요."

남자의 말에 옆에 있던 환자들이 고개를 끄덕였다.

"그뿐만이 아니에요. 치료비가 없는 가난한 사람도 절대 그냥 돌려보내는 일이 없대요."

이렇듯 환자들은 진료를 기다리며 공병우의 칭찬을 늘어놓았다. 공병우에게는 한글 사랑이 곧 환자 사랑이었고 환자 사랑이 곧 한글 사랑이었다. 일본어만 써야 했던 서슬 퍼런 일제 강점기에 한글로 된 시력 검사표를 만든다는 것 자체가 대단한 용기가 없으면 불가능한 일이었다.

한글 타자기의 길을 열다

어느 날 공병우는 경성 제국 대학 의학부 연구실에 들렀다. 동료 연구원이 영어 원고를 펼쳐 놓고 작은 기계를 손가락으로 연신 두드렸다.

"이게 뭡니까?"

공병우의 말에 동료 연구원이 대답했다.

"영문 타자기입니다. 이것만 있으면 힘들게 만년필로 글자를 쓰지 않아도 글자가 찍혀 나오지요."

일을 후다닥 해치우는 것을 좋아하던 공병우는 부러운 눈으로 바라보았다.

"타자기만 있으면 의학 연구 논문도 빨리 쓸 수 있겠군요."

공병우는 그렇게 말하고서는 생각했다.

'한글도 저렇게 빨리 찍을 수 있다면 얼마나 좋을까?'

하지만 더는 한글 타자기에 대해 생각하지 못했다. 당장 해야 할 의학 공부가 산더미처럼 쌓여 있었기 때문이다.

1945년 우리나라가 드디어 해방을 맞았다. 그러자 일본 의사들도 우리 땅에서 물러나야 했다.

해방 전부터 공병우는 후배 의사들을 직접 가르쳤다. 서른일곱 살에 일본어로 된 안과 의학책 『소안과학』을 한국어로 번역하기도 했다. 그때 공병우가 책을 번역하면 후배 의사 둘이 깨끗하게 옮겨 적었다.

"번역하면서 직접 타자기로 치면 일이 금방 끝날 텐데."

문득 공병우의 머릿속에 타자기가 떠올랐다.

그날 공병우는 사무기기를 파는 곳으로 달려갔다. 다행히 상점에는 이원익이 만든 타자기와 송기주가 만든 타자기 두 종류가 있었다. 공병우는 두 대를 모두 사 가지고 왔다.

실제 타자기를 타닥타닥 칠 때마다 한글 글자가 종이에 예쁘게 찍혔다.

"참으로 신기한 기계로구나."

공병우는 만족하며 타자를 치다가 한 가지 이상한 점을 발견했다.

"어, 세로로 글자가 찍히네. 알파벳처럼 가로로 찍힐 수는 없나?"

그 당시는 신문이든 잡지든 대부분 세로쓰기를 했다. 그러다 보니 알파벳을 칠 때보다 속도가 느렸다. 한글 타자기라고는 하지만 영문 타자기를 고쳐 만든 데다 세로로 치게 만들어 느릴 수밖에 없었다.

"옳지. 가로로 칠 수 있는 한글 타자기를 개발해야겠다."

마침 번역 중이던 『소안과학』도 가로쓰기로 되어 있었다. 『조선 일보』, 『동아 일보』 등 주요 신문은 세로쓰기를 했지만 가로로 된 책이나 인쇄물도 점차 늘어나고 있었다. 세로쓰기로 된 문장은 읽기도 쓰기도 힘들었다. 안과 의사인 공병우는 당연히 사람의 눈이 세로보다 가로로 읽고 쓰기에 적합하다는 것을 잘 알고 있었다.

"동양 사람들은 참 이상하지. 더 편한 가로쓰기를 놔두고 여태껏 세로로 쓰다니. 관습이란 참으로 무섭구나."

공병우는 곧바로 영문 타자기를 사 와 연구를 시작했다. 하지만 어떻게 해야 한글 타자기를 만들 수 있을지 막막했다. 그러다 의학 공부를 하던 시절 시신을 해부하며 복잡한 몸의 구조를 익히던 때를 떠올렸다.

"타자기가 복잡한들 설마 사람 몸보다 복잡하랴."

공병우는 사람 몸을 해부하듯 영문 타자기를 분해했다. 연구실에 타자기 부품을 늘어놓고 보니 사람 몸보다는 복잡하지 않았지만 그렇다고 단순하지도 않았다.

공병우는 날마다 병원 한구석에 마련한 연구실에서 타자기 부속품을 이리저리 끼워 맞추며 새로운 한글 타자기를 만드는 데 빠져들었다.

사실 공병우는 안과 의사이지 한글 연구가도 아니고 타자수도 아니며 타자기 개발자도 아니었다. 오로지 한글을 빠르고 정확하게 찍을 수 있는 기계가 만들어지기를 바랄 뿐이었다.

국어 교사 박흥호가
공병우를 만나다

박흥호 공병우 박사님, 그간 안녕하셨는지요. 국어를 가르치다가 한글 기계화 운동에 뛰어든 박흥호입니다. 저를 기억하시겠습니까?

공병우 나와 함께 한글 기계화 운동에 운명을 걸기 위해 학교까지 그만둔 박 선생을 내가 어찌 잊을 수 있겠소. 역시 내 기대대로 박 선생은 한글 기계화 운동을 펼친 것뿐 아니라 '아래아 한글' 같은 한글 문서 편집기를 개발하는 등 뛰어난 역할을 해 주었죠.

박흥호 과찬의 말씀입니다. 새로운 시대에 맞도록 한글을 발전시키기 위해 많은 분들이 힘을 모은 덕이지요. 제가 국어 선생은 그만두었지만 우리말 우리 글을 위해 미약하나마 힘을 다할 수 있었던 것은 박사님께서 계셨기에 가능했습니다. 학생들을 위해 한글 타자기 개발 과정에 대해 말씀 부탁드립니다.

공병우 한글 타자기 개발은 쉽지 않았어요. 영어 글자는 무조건 옆으로 늘어놓기만 하면 되는데 한글은 가나다처럼 옆으로 가기도 하고, 몸, 불, 물처럼 세로로 가기도 하고, 받침이 없기도 하고 있기도 하니까요. 타자기를 만들기 위해서는 한글의 짜임새를 제대로 아는 것이 중요했어요. 그래서 조선어 학회 권덕규 선생님을 초대해 한글 공부부터 했지요.

박흥호 박사님이 만든 타자기는 세벌식 타자기인데, 여느 타자기와 다른 점이 무엇인지 학교 선생님들이 궁금해합니다.

공병우 타자기 자판을 만드는 방식은 크게 세 가지입니다. 자음자 모음자만을 만들면 두벌식이고, 모음자를 받침 없는 모음자와 받침 있는 모음자로 나누어 만들면 자음 둘 모음 둘인 네벌식이지요. 받침 없는 모음자나 받침 있는 모음자나 같은 글자로 만들면 세벌식입니다. 두벌식은 자주 치는 자음이 왼쪽에 있고 모음이 오른쪽에 있어서 왼손에 지나친 부담을 주고, 네벌식은 받침 있는 모음과 없는 모음을 구별해서 쳐야 하니 무척 더디고 어렵지요. 그에 반해 세벌식은 초성 자음은 오른쪽에 종성 자음과 모음은 왼쪽에 있어 왼손과 오른손을 골고루 사용할 수 있으니 훨씬 쉽고 빠르게 글자를 입력할 수 있지요.

박흥호 박사님은 결국 한글로 더 큰 세상을 열 수 있는 기계를 발명하신 거로군요. 박사님께서는 안과 의사로서도 한글과 관련한 큰 업적을 남기셨죠. 안과에 오는 환자들이 맨 먼저 하는 게 시력 검사인데요, 박사님께서 한글 시력 검사표를 만들어 주신 덕분에 잘 쓰고 있습니다. 한글 시력 검사표는 어떻게 만드시게 되었나요?

공병우 의사 생활을 하던 제게 한글의 세계에 눈뜨게 해 준 한글학자 이극로 선생님 덕분이었죠. 시력 검사표가 일본어로 쓰여 있으니 환자들이 읽지 못해 어려움이 많았어요. 이극로 선생님이 저희 병원에 다녀가신 뒤 일본어로 된 시력 검사표를 한글로 바꾸게 되었고, 눈병 안내문과 안과책들도 한글로 번역하게 되었습니다.

박흥호　그뿐만이 아니라 시각 장애인들을 위한 일도 많이 하셨지요?

공병우　쉰두 살 때인 1957년 사재를 털어 '맹인 부흥원'을 설립하여 맹인 재활 사업으로 맹인 점자 교육과 한글 타자 교육을 했습니다. 1971년에는 맹인용 점자 타자기도 개발하였지요.

박흥호　타자기를 만들면서 기억에 남는 일이 있으셨나요?

공병우　한국 전쟁 때 일이지요. 전쟁 중에는 작전 명령을 정확하고 신속하게 전달해야 하기 때문에 타자기가 무척이나 중요한 군수 물자였어요. 한국 전쟁 때도 제가 만든 타자기가 유용하게 쓰였는데, 타자수를 길러 내는 일도 맡아야 했지요. 그래서 당시 군부대에 타자 강습소가 차려지기도 했답니다.

● 공병우가 만든 한글 타자기

세벌식 타자기

네벌식 타자기

	네벌식	세벌식	두벌식
초성 자음	한 벌	한 벌	한 벌
종성(받침) 자음	한 벌	한 벌	
받침 없는 모음(가)	한 벌	한 벌	한 벌
받침 있는 모음(각)	한 벌		

최정호

1916~1988년

"우리 한글이 가지는 자형상의 특징이나 배열상 까다로운 점은 세계적으로 으뜸이라 할 만하다."

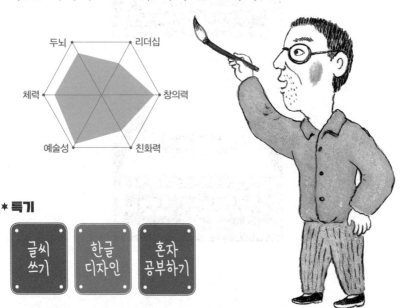

두뇌 / 리더십 / 창의력 / 친화력 / 예술성 / 체력

★ 특기

| 글씨 쓰기 | 한글 디자인 | 혼자 공부하기 |

★ 경력

- 한글 원그림 개발 성공
- 궁서체, 굴림체, 그래픽체, 공작체 등 30여 가지 다양한 한글 글꼴 개발

★ 기타

- 균형미와 완성도가 높아 즐겨 쓰는 바탕체인 최정호체 개발 뒤 세상을 떠남

글씨 하나하나에
혼을 박은 글꼴 장인

✦ ✦ ✦

일본 광고를 보며 한글 디자이너를 꿈꾸다

고등학교 졸업식을 마치고 며칠이 지난 어느 날이었다. 최정호는 길을 지나다 일본인 미술 선생님을 만났다. 수업 때마다 최정호를 칭찬하고 특별히 관심을 기울이던 선생님이었다.

"선생님, 오랜만에 뵙습니다."

최정호가 깍듯이 인사했다.

"그래, 잘 지내는가? 진로는 정했고?"

미술 선생님은 여느 때처럼 따뜻하게 안부를 물었다.

"아직입니다. 제가 뭘 잘하는지, 어떤 길로 가야 할지 모르겠습니다."

최정호가 머리를 긁적이며 대답했다.

"음, 자네는 미적 감각이 뛰어난 친구 아닌가. 그러지 말고 일본에 가서 응용 미술, 그중에서도 인쇄 미술을 배워 보면 어떤가?"

"제가 할 수 있을까요?"

최정호가 되묻자, 미술 선생님이 용기를 불어넣어 주었다.

"그럼! 벌이가 꽤 괜찮아서 생활도 안정되고 자네 소질도 살릴 만한 일이네."

어쩐지 최정호의 가슴속에서도 뜨거운 것이 꿈틀대는 듯했다.

그길로 최정호는 집에 돌아와 새로운 일에 대한 계획을 세웠다. 그리고 가족들이 모인 자리에서 계획을 이야기했다.

"뭐라고? 네가 환쟁이가 되겠다고? 비렁뱅이처럼 살겠다는 말 아니냐? 안 된다!"

아버지의 얼굴이 붉으락푸르락해졌다. 아버지가 그렇게 말할 법도 한 것이, 당시에는 그림을 그리거나 글씨를 쓰는 일을 직업으로 삼으면 밥도 제대로 먹기 힘들었기 때문이다.

"아버지, 잘해 볼게요. 저는 잘할 자신이 있어요."

최정호는 아버지의 호통에도 굽히지 않고 그 어느 때보다 힘주어 말했다. 그 모습을 보며 어머니는 아들이 굳은 결심을 했다는 것을 알아챘다.

"여보, 우리 정호는 잘할 거예요. 당신도 믿잖아요."

어머니는 낮고 차분한 목소리로 아버지를 설득했다. 아버지는 헛기침과 한숨만 번갈아 내뱉을 뿐이었다.

"저도 형이 하고 싶은 일을 했으면 좋겠어요. 제가 형 몫까지 집안일을 도울게요."

동생 최남호도 형의 결심을 지지했다.

그렇게 해서 최정호는 1934년 일본으로 향했다. 낯선 땅에서 홀로 생활하는 것이 쉽지 않았지만, 낮에는 인쇄소 일을 하고 밤에는 요도바시 미술 학원에 다니며 꿈을 키웠다. 게다가 워낙 감각과 재주가 좋다 보니 당시 순사 월급이 12원이던 시절에 식사비를 포함하여 40원이라는 꽤 많은 월급을 받을 수 있었다.

'나중에 한국에 돌아가면 인쇄소를 차려야겠어.'

이런 생각을 하며 최정호는 다양한 인쇄 기술을 배우기 위해 노력했다. 그래서 석판 인쇄를 전문으로 하는 인쇄소를 여러 군데 옮겨 가며 기술을 익혔다. 그렇게 하는 과정에서 최정호는 크게 깨달은 것이 하나 있었다.

'아무리 인쇄 기술이 뛰어나더라도 글꼴이 아름답지 않으면 좋은 결과물을 얻을 수 없구나!'

그 무렵 최정호는 인쇄소에서 일하며 부업으로 일본에 사는 한국인을 위해 '선전 글씨'라고 불렀던 영화 광고나 포스터, 간판 등에 들어갈 한글 문안을 써 주는 일도 했다. 그 일들을 하면서 글꼴에 대한 최정호의 관심은 더욱더 깊어졌다.

하루는 길을 지나다 일본 화장품 회사인 '시세이도' 광고에 나오는 글자를 보고는 멈춰 서서 중얼거렸다.

"아! 글자도 예술이 되는구나. 한글도 얼마든지 아름답게 쓸 수 있을 텐데. 전 세계인이 감탄할 수 있는 한글 글꼴을 만들고 말 테야!"

최정호는 일본에서 열심히 일하고 배우며 한글 디자이너의 꿈을 키워 나갔다.

한글 글꼴 개발에 앞장서다

최정호는 1939년에 일본에서 돌아와 대구에 자리를 잡게 되었다. 처음에는 공무원 생활을 했는데, 곧 그만두고 삼협 프린트사를 차렸다. 동생 최남호가 영업과 운영을 맡아 사업이 번창했다.

1947년에는 서울 종로구로 올라와 삼협 프린트사를 열었다. 여러 곳에서 다양한 주문이 들어와 제법 성공을 거둘 수 있었다. 1949년에는 인쇄소를 세워 본격적으로 인쇄업에 뛰어들었다. 그러나 6·25 전쟁이 일어나는 바람에 인쇄소의 문을 닫을 수밖에 없었다. 최정호는 도안 사무실에서 글자에 관련된 일을 계속해 나갔다.

1970년 초반 최정호는 일본으로 다시 건너갔다. 그곳에서 글꼴 개발을 위해 끊임없이 공부하고 원그림을 디자인했다. 본문 글꼴에 알맞게 가는, 중간, 굵은, 돋보임 네 가지 굵기로 설계하고 굴림체와 공작체, 그래픽체 등 여러 글꼴을 만들어 냈다. 이미 일본에서 사용하는 글꼴을 활용해 한글화하기도 했지만, 그것은 우리 고유의 글꼴은 아니기에 늘 아쉬움이 남아 있었다.

그래서 최정호는 더 깊이 연구했고, 그 결과로 궁서체를 선보이게 되었다. 그는 스스로 궁서체를 쓰고 그것을 바탕으로 하여 글꼴을 만들어 냈다. 이때 서예가를 만나기도 하였다. 이 일을 계기로 최정호의 글꼴 개발은 더욱더 열정 넘치게 이어졌다.

그 뒤 한국으로 돌아와서도 최정호는 글꼴 개발을 게을리하지 않았다. 서울 종로구에 있던 진명 출판사는 그 무렵 최정호가 머물던 곳이었다. 사무실 한쪽에 책상 하나만 달랑 놓은 채 그는 꼬박 자리를 지켰다.

낡은 책상 위에는 연필, 지우개, 모눈종이, 돋보기 같은 소박한 문구용품이 다였다.

하지만 그는 누구보다 글꼴에 대한 수많은 지식을 가지고 있었고, 그런 이야기를 나누며 시간 보내기를 좋아했다. 그럴 때마다 그의 두 눈은 별보다 더 반짝였다.

"자네는 못 그리는 글자가 없으니, 정말 대단해."

동료들이 신기한 듯 이야기를 던지면, 최정호는 허허 웃으며 이렇게 받아쳤다.

"나는 한글, 영자, 일자, 한자도 그릴 수 있지만 다른 나라 사람은 한글 활자를 못 쓰니 만약 글자 올림픽이라도 있으면 내가 금메달감이지."

"글자를 만들 때 자네만의 기준이라도 있나?"

이런 질문은 최정호가 흔히 받는 질문이기도 했다.

"글자는 모름지기 사상이나 뜻을 전달하는 도구라고 생각한다네. 그렇기에 읽는 사람이 피로를 느끼지 않도록 해야 하고 무엇보다 읽기 쉽게 디자인하는 것이 매우 중요하지. 글자를 만드는 건 예술이 아니거든."

그래서 최정호는 '글자를 쓴다'는 말이 아닌, '자형 설계를 한다'고 이야기하곤 했다.

이러한 정신을 바탕으로 최정호는 글꼴 개발에 매달렸고, 출판사 이름이나 일본 사진 식자 회사 이름에 맞춰 MS명조, SK명조 등의 글꼴을 선보였다.

그러던 어느 날이었다. 그는 늘 자기 이름을 딴 글꼴을 만들고 싶어 했는데, 그가 만든 수많은 글꼴에 단 한 번도 최정호 본인의 이름을 붙이지 않은 것을 안타깝게 여긴 디자이너가 최정호체를 의뢰한 것이다.

그는 벅차오르는 마음을 누르고 원그림 한 벌을 완성하는 데에만 매진했다. 수정하고, 따 붙이고, 다시 색을 칠하고 다른 때보다 더 깊이 고민했다. 그리고 타계하기 직전인 1988년에 마침내 최정호체를 탄생시켰다.

출판인 김상문이
최정호를 만나다

최정호 동아 출판사의 김 사장이 어찌 나를 다 찾아오셨소?

김상문 귀한 분을 뵈려면 어디라도 가야 하지 않겠소. 최 형은 예나 지금이나 그대로구려.

최정호 원그림 제작을 해 달라고 김 사장이 날마다 우리 집에 찾아와 괴롭히던 일이 떠오르오. 하하하. 점심때까지 늦잠을 자는 나를 마냥 기다리지 않았소.

김상문 활자 개혁이 곧 출판업과 인쇄업을 성공으로 이끄는 지름길이라고 생각했으니 그 정도 수고야 당연하지 않겠소.

최정호 원그림 제작 경험도 없고 재주도 없으니 다른 사람을 찾아보라며 끝까지 거절했는데, 금속 활자를 발명한 조상들의 후예로서 조잡한 한글 활자를 바꿀 의무를 느끼라는 말에 내 마음이 움직이고 말았소.

김상문 눈을 씻고 봐도 최 형이 아니고는 그 분야의 전문가가 없었소이다.

최정호 막상 한글 원그림을 개발하려고 하니 얼마나 막막하던지. 그래서 맨 먼저 『훈민정음』의 글자 형태를 꼼꼼히 살폈소. 그렇게 어렵게 처음으로 한글 활자를 만들었는데 모난 곳이 많아 모두 용광로에 던져 버렸지. 그 당시 김 사장이 힘을 주지 않았다면 포기하고 말았을 것이오.

김상문 모든 일에는 시행착오가 있는 법이지요. 최 형이 글자 하나하나에 혼을 실어 만든 덕분에 1957년부터 우리 출판사에서 새로운 활자를 쓰게 되었구려.

최정호 그제야 한글이라는 글자에 대해 어렴풋하게나마 깨달았지. 세로로 쓸 때와 가로로 쓸 때 글자의 기본을 어디에 두어야 할지 말이오. 그 당시 나는 글자에 미쳤소. 신문을 봐도 책을 봐도 내용은 보이지 않았거든. 무조건 글자만 보였지. 그렇게 반년을 파고들자 원그림 한 벌을 제작할 수 있었소. 그때 김 사장이 나한테 한잔하자며 활짝 웃어 보이니 어찌나 눈물이 나던지.

김상문 승리의 눈물이지. 나도 울컥했소. 최 형이 만든 원그림 활자로 『새 백과사전』도 내고 『세계 문학 전집』도 냈지. 최 형의 한글 원그림 활자들은 출판과 인쇄 업계를 흔들어 놓았지. 완성도 높은 한글 활자가 출판 시장에 숨을 불어넣은 거였어.

최정호 그 바람에 나한테 원그림 개발 의뢰가 밀려들었소. 활자뿐만 아니라 인쇄소의 시설들도 하나씩 바뀌어 나갔지. 그 뒤 『동아 일보』에서 한글 활자의 원그림을 의뢰했는데, 당시 『동아 일보』는 균형이 맞지 않는 옛 한글 활자를 쓰고 있어서 기사 제목을 주로 한자로 뽑아 썼지. 내가 만든 활자로 처음 신문이 나오던 날엔 밥을 먹으면서도 신문을 손에서 놓지 못했소.

김상문 그나저나 최 형은 언제부터 그렇게 글씨를 잘 썼소?

최정호　태어날 때부터라고 해야 하나? 하하하. 농담이오, 농담. 어려서부터 공부하는 것보다 글씨 쓰는 것이 더 좋았소. 아버지께서 매일 아침 출근하시면서 글자 일곱 개를 써서 건네주시고 퇴근 후에 검사하셨거든. 그 숙제에 점점 재미를 붙여 숙제를 더 많이 내 달라고 청하기도 했지. 보통학교 2학년 때인가, 한번은 담임 선생님께 따귀를 맞은 적이 있소. 글씨 숙제를 검사하는 날이었는데, 내가 쓴 글씨를 보고 부모님이 대신 써 주었다고 생각하신 거지. 나는 별수 없이 선생님과 친구들이 보는 앞에서 직접 글씨를 써 보이고 억울함을 풀었소.

김상문　하하. 그 선생님 꽤나 놀라셨겠구먼. 나중에 최 형이 최고의 한글 디자이너가 된 사실을 안 다음에는 많이 기뻐하셨을 거요.

● 최정호체

류 루 료 롭
론 록 렸 령

엶 엥 엣 엘
엔 힛 힐 헌

살 싸 물 동
생 음 야 거

람 공 무 주
내 부 정 검

존 쪼 뵈 봤
봐 뽕 봉 뽑

국 꾸 교 광
관 술 순 쇠

1988년에 최정호가 마지막으로 만든 글씨체다. 줄기의 시작과 맺음, 꺾임 등이 섬세하고 또렷하다. 균형미와 완성도가 높다는 평가를 받는다.

09

금수현

1919~1992년

한글이름
빛냄상

"나라도 되찾은 마당에 이제 우리식,
한글로 이름 짓는 것이 당연하지
않은가."

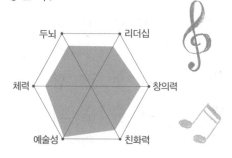

★ 특기

 작곡 및 음악

 우리말 음악 교육

 한글 이름 짓기

★ 경력

- 수많은 음악 용어를 한글화하는 데 큰 공을 세움
- 한글 전용 쓰기에 앞장선 공을 인정받아 제10회 외솔상 수상

★ 기타

- 국민 가곡 「그네」 작곡
- 우승은 못 해 본 탁구부 주장 출신

아름다운
한글 이름 짓기의 달인

✦ ✦ ✦

우리나라 최초로 한글 이름을 짓다

금수현의 원래 이름은 김수현이었다. 김씨는 우리나라에서 가장 흔한 성이다. 1940년대 금수현이 음악 교사로 재직하던 당시, 교직원 중에 절반이 김씨 성이었다. 그러다 보니 교무실에서 누군가 '김 선생'을 부르면 반 이상이 쳐다볼 정도였다.

"김수현의 성부터 바꿔 불러야겠어. '김'은 원래 음이 쇠 금이니 '금'으로 바꾸면 좋겠군. 성 하나만 바꿔도 마치 금빛으로 반짝이는 것 같네."

금수현은 20대에 자신의 성을 한글로 바꿨다. 마침 해방을 맞이한 때라 한글 성은 더 값지게 느껴졌다. 하지만 동료 교사들 중에는 그런 금수현의 행동을 이해하지 못하는 사람도 있었다.

"굳이 조상들이 물려준 성을 버리고 한글로 바꿀 필요가 있습니까?"

"한글이 있으니 성뿐 아니라 이름도 한글로 짓는 게 맞지요. 신라 경덕왕 때 중국에서 한자가 들어온 이래 지배층이 한자로 이름을 짓다 보니 토박이말로 지은 이름들이 다 사라졌어요. 그 이전에는 임금이라도 토박이말로 이름을 지었거든요. 신라의 시조 박혁거세의 이름도 '밝은 누리'입니다. 한자식 이름이 널리 쓰이면서 안타깝게도 토박이말로 지은 이름은 하층민이나 여성들 사이에서만 쓰이게 된 거랍니다."

금수현은 평소 우리의 이름 역사를 부끄럽게 여겼다. 그러다 1945년 첫째 아들이 태어나자 고민에 빠졌다.

"아이들 이름은 꼭 한글로 지어야지. 뿌리 깊은 나무는 바람에 흔들리지 않는다! 아, 뿌리가 좋겠다. 황금을 널리 뿌리라는 뜻으로도 읽히고."

하지만 나라에서는 순 한글 이름으로는 출생 신고를 받아 주지 않았다. 결국 출생 신고를 하지 못하게 되자 금수현은 한자와 한글을 함께 적을 수 있는 이름을 지어야 했다.

"내 성은 'ㄱ'으로 시작되는 '금'으로 바꾸었으니 우리 아이들은 'ㄴ' 자를 돌림으로 써야겠어. 아쉽지만 나라가 좋겠군."

금수현은 신문에 순 한글 이름으로 출생 신고를 할 수 있게 해 달라고 글을 썼다. 그 뒤 이름 표기 제도가 바뀌었고, 1947년 둘째 아들이 태어난 다음에는 순 한글 이름으로 출생 신고를 할 수 있게 되었다.

"둘째 이름은 하늘을 나는 새처럼 자유롭게 살라고 난새로 지어야겠다."

금난새는 우리나라 호적에 처음으로 등재된 순 한글 이름이었다. 이름처럼 '금빛 날개를 단 새'가 되어 외국 곳곳을 돌아다니며 금빛 선율을 선물하는 유명한 음악가가 되었다.

그 뒤에도 금수현은 자식을 낳을 때마다 금나라, 금난새에 이어 금내리, 금누리, 금노상과 같이 순 한글로 이름을 지었다.

세월이 흘러 금수현이 할아버지가 되자 자식들이 손주들에게도 순 한글로 이름을 지어 주길 바랐다. 하루는 자식들을 불러 놓고 물었다.

"너희들 이름은 'ㄴ' 자 돌림인데 어떻게 생각하니?"

"다들 순 한글 이름도 돌림이 된다며 신기해하더라고요."

"그럼 너희 자식들 이름은 'ㄷ' 자 돌림으로 지으면 어떻겠니?"

"아버지가 저희 이름을 지어 주신 것처럼 저희도 아이들한테 순 한글 이름을 지어 줄 생각이긴 했는데요, 돌림자까지는 생각하지 못했어요. 'ㄷ' 자를 어떻게 돌림으로 붙일까요?"

"우리말은 초성인 첫소리 중심으로 모아쓰니 얼마든지 가능하지. 'ㄷ'이 들어간 좋은 말들을 생각해 보렴."

그렇게 해서 금수현의 손주들도 다나, 두루, 다다, 드레와 같이 순 한글 이름을 갖게 되었다.

한글의 짝꿍 이름 한말을 떠올리다

금수현은 작곡가였지만 한글 학회 모임에도 자주 나갔다. 하루는 한글 학회 회원들이 모인 뒤풀이 자리에 참석하게 되었다.

"선생님, 한글 학회는 한글만 연구하고 말은 연구하지 않나요?"

금수현의 뜬금없는 질문에 사람들이 모두 웃음을 터뜨렸다. 하지만 금수현의 얼굴을 진지하기만 했다. 그러자 한 회원이 나서서 말했다.

"아하, 금 선생님 말씀을 듣고 보니 농담처럼 흘려들을 이야기는 아닌 것 같군요. 1949년에 조선어 학회의 이름을 한글 학회로 바꿀 때 많은 고민이 있었다고 합니다. 우리 말글 학회로 하자는 분도 계셨고요."

또 다른 회원이 이어 말했다.

"한글이란 말은 한글 학회를 세우신 주시경 선생님이 만들었지요. 일제 강점기를 거치면서 한글에 담긴 역사의식도 있고 해서 한글 학회라고 이름을 고치기로 했다고 합니다."

금수현은 골똘하게 생각에 잠겼다.

"저도 그 취지는 이해하고 공감합니다. 그렇다 해도 한글 학회에서는 말과 글을 함께 연구하지 않습니까?"

금수현의 말에 한글 학회 직원도 한마디 거들었다.

"그러고 보니 한글이란 말에 대응되는 우리말의 명칭이 없군요."

금수현은 무릎까지 치며 맞장구를 쳤다.

"맞습니다. 그렇다고 한국말이라고 할 수도 없고요. 어느 나라든 자기 나라 말을 국어라고 하니 국어라고 할 수도 없고요. 한글 학회나 외솔회 같은 단체에서 우리말을 뜻하는 명칭을 빨리 지으면 좋겠습니다."

금수현은 뒤풀이가 끝나고 집에 와서도 깊이 고민했다.

"어찌 보면 글보다 말이 더 중요하지. 말이 있어야 글이 있으니까."

그렇게 고민을 거듭한 끝에 문득 '한말'이라는 낱말이 떠올랐다.

"우리글을 한글이라 하니, 우리글의 짝꿍 우리말은 한말이라 하면 되겠군. 한글 학회가 있듯 한말 학회도 있으면 더 좋고."

금수현은 문화 교육부에서 국정 교과서 편찬하는 일을 맡을 때에도 음악 용어를 순 한글로 바꿔 붙였다.

"우리 음악 용어를 왜 부르기 쉽고 알기 쉬운 한글을 놔두고 영어나 한자로 짓는 겁니까? 리듬은 영어지만 장단은 순우리말입니다."

금수현의 문제 제기에 편찬 위원들 사이에서 리듬과 장단을 두고 논쟁이 붙어 투표까지 해야 하는 상황이 되었다. 결국 한 표 차이로 리듬을 선택해야 했지만 금수현은 이를 받아들이지 않고 용어집에 슬그머니 장단을 끼어 넣었다. 그러한 노력이 있었기에 토박이말인 '장단'이 살아남게 되었다. 그뿐 아니라 큰북, 작은북, 도돌이표, 으뜸음, 버금딸림음과 같은 수많은 음악 용어가 순우리말로 만들어지고 널리 퍼졌다.

청소년 김다찬이
금수현을 만나다

김다찬   저는 한글 이름을 지닌 김다찬입니다. 다 채우라는 뜻이지요. 이름처럼 이 세상을 다 채우는 사람이 되고 싶습니다.

금수현   아, 역시 이름이 그래서인지 이 세상을 다 채울 듯 다부져 보이는군요. 무엇으로 이 세상을 채울지 궁금해요.

김다찬   순 한글 이름의 시조라 할 수 있는 선생님께서 그렇게 말씀해 주시니 더 기쁜걸요. 아직은 무엇으로 세상을 채우는 사람이 될지 결정하지 못했어요. 그런 사람이 되기 위해 일단 제 몸과 마음부터 채우고 있습니다. 이름은 자주 불리는 것이라 이름처럼 살게 되는 것 같아요. 그래서 선생님의 자녀들도 이름처럼 멋진 삶을 살아가고 계시는 게 아닐까 싶어요.

금수현   그렇죠. 이름은 날마다, 또 많이 불리는 거니까 함부로 지을 수 없지요. 좋은 생각을 하면 좋은 말이 나오고, 좋은 말을 하면 좋은 행동을 하게 되니 인생도 바뀐다고 하잖아요. 참, 다찬 군도 음악 좋아해요?

김다찬 네. 음악을 좋아하고 피아노 칠 때 가장 행복합니다. 선생님이 지으신 「그네」도 자주 피아노로 치며 따라 불러요. 세모시 옥색 치마 금박 물린 저 댕기가…….

금수현 소설가인 장모님이 쓰신 시예요. 장모님이 시를 읊었을 때 바로 가락이 생각났어요. 짧은 시간에 만든 곡인데도 많은 사람들에게 사랑받는 노래가 되었지요.

김다찬 선생님은 생활 속에서 한글 전용을 몸소 실천하셨던 한글 운동가란 생각이 들어요. 자녀들의 이름도 음악 용어들도 순 한글로 짓고 늘 한글을 사랑하고 즐겨 쓰셨으니까요. 그래서 한글학자는 아니지만 제10회 외솔상을 수상하기도 하셨고요.

금수현 외솔상을 받을 때는 정말 감격스러웠지요. 음악 선생으로 있을 때 학생들에게 우리말로 음악 교육을 하고 싶었어요. 그래서 음악 용어들을 높은음자리표, 마디, 셈여림처럼 순우리말로 바꿔 가르쳤죠. 그것을 외솔 선생님께서 아시고 칭찬을 아끼지 않으셨어요. 한글학자만 한글을 쓰고 사랑해야 할 일이 아니지요. 우리나라 사람이라면 누구나 한글을 아끼고 사랑해야 한다고 생각해요.

김다찬 제 주변의 친구들도 자신의 꿈을 담아 순 한글 이름을 지어 보면 좋겠어요.

금수현 아하, 그것도 참 좋은 생각이네요. 더불어 앞으로 태어나는 우리나라 아이들 모두가 순 한글 이름으로 불리는 날이 오면 좋겠군요.

찾아보기

참고 자료 ◇◇

단행본 및 논문

강신항(2002),【신숙주의 학문과 인간】「신숙주와 운서」,『새 국어 생활』제12권 3호,
　　국립 국어 연구원.

공병우(2016),『나는 내 식대로 살았다』(공병우 자서전), 지식 산업사.

권재선(1992),『한글 연구(Ⅰ)』, 우골탑.

권재일(2008),「우리 말글을 가꾸고 지킨 한힌샘 주시경 선생」,『스승』, 논형.

금수현(1980), 한말 학회.『나라 사랑』37집, 외솔회.

금수현(1985), 할비 할미.『나라 사랑』54집, 외솔회.

김동진(2010),『파란 눈의 한국 혼, 헐버트』, 참 좋은 친구.

김범수(2015),「한글 점자 만든 시각 장애인의 '세종 대왕': 박두성, 시각 장애인에게 우리 글 읽
　　고 쓰게 훈맹정음 창안」,『복지 저널』85호(2015년 9월), 한국 사회 복지 협의회.

김병국(2001),『서포 김만중의 생애와 문학』, 서울 대학교 출판부.

김석득(2008),「참 삶의 길을 열어 주신 외솔 최현배 선생」,『스승』, 논형.

김슬옹(2011),『세종 대왕과 훈민정음학』, 지식 산업사.

김슬옹(2012),『조선 시대의 훈민정음 발달사』, 역락.

김슬옹(2013),『한글을 지킨 사람들』, 아이세움.

김슬옹(2017),『역사가 숨어 있는 한글 가온길 한 바퀴』, 해와 나무.

김슬옹(2017).「훈민정음 정신을 드높인 책『동국정운』대표 집필자 신숙주」, 신한국 문화 신문
　　(www.koya-culture.com/news/article.html?no=107059)

김슬옹·김웅(2016),『역사를 빛낸 한글 28대 사건』, 아이 세움.

김영기·한은주 편(1998),『세종 대왕(국립 국어 연구원 총서 1)』, 신구 문화사.

김진규(1993),『훈몽자회 어휘 연구』, 형설 출판사.

박용규(2012),『조선어 학회 항일 투쟁사』, 한글 학회.

백두현(2006), 『음식 디미방 주해』, 글누림.

빙허각 이씨(1809?)/정양완 역주(2008), 『규합총서』, 보진재.

서울대 규장각(2000), 『정조, 그 시대와 문화』, 서울 대학교 규장각.

송현(2007), 『공병우: 한글 기계화의 아버지』, 작은 씨앗.

신숙주/고령 신씨 문헌 간행 위원회(1984), 『보한재 전서』 상·중·하, 은성 문화사.

안상수·노은유(2014), 『한글 디자이너 최정호』, 안그라픽스.

이극로(1947/2008 재간행), 『고투 40년』, 범우.

이대로(2008), 『우리 말글 독립운동의 발자취』, 지식 산업사.

이상규(2011), 『한글 고문서 연구』, 경진.

이상진(2000), 『송암 박두성 전기』, 송암 기념 사업회.

이흥우(1996), 「훈민정음 원본 "1천 원" 말에 선뜻 1만 1천 원」, 『간송 전형필』, 한국 민족 미술
    연구소, 231쪽.

전형필(1959), 「새로 발견된 국보」, 『학원』 재수록: 한국 민족 미술 연구소 편(1996), 『간송 전형
    필』, 한국 민족 미술 연구소, 293-294쪽.

정민(2002), 「『서포만필』을 통해 본 김만중의 비평 관점   」, 『한국 언어문화』 21집, 한국 언어문
    화 학회.

정창권(2013), 『거리의 이야기꾼 전기수』, 사계절.

주윤정(2008), 「식민지기 문화 정책의 균열: 박두성의 훈맹 점자와 맹인」, 『인천학 연구』 9호
    (2008년 8월), 인천 대학교 인천학 연구원.

최기호(2002), 「신숙주의 『해동제국기』에 대한 고찰」, 『한힌샘 주시경 연구』 14·15호, 한글 학
    회, 77-102쪽.

최현배(1942/1982: 고친 판), 『한글갈』, 정음 문화사.

한국 민족 미술 연구소 편(1996), 『간송 전형필』, 한국 민족 미술 연구소.

한글 학회(2009), 『고루 이극로』, 어문각.

누리집

조선왕조실록 http://sillok.history.go.kr

디지털 한글 박물관 http://www.hangeulmuseum.org

한국 고전 번역원 http://www.itkc.or.kr/

사진 출처 ◇◇

- 45쪽 동국정운: 건국대 도서관 소장본
- 57쪽 훈몽자회: 대제각 영인본
- 69쪽 홍길동전: 뿌리 깊은 나무 박물관 소장본
- 89쪽 음식 디미방: 디지털 한글 박물관 제공
- 99쪽 위 정조 편지: 화성 박물관 소장본
- 99쪽 아래 정조 편지: 안대회 교수 소장
- 121쪽 규합총서: 국립 중앙 박물관 이미지 제공
- 131쪽 사민필지: 국립 중앙 도서관
- 143쪽 독립신문: 『근대 문화유산 신문 잡지 분야 목록화 조사 연구 보고서』(문화재청, 2010), 40쪽
- 175쪽 훈맹정음 원고: 송암 박두성 기념관 제공
- 185쪽 위 훈민정음 해례본: 한글학회(1988) 영인본
- 185쪽 아래 훈민정음 해례본 복간본: 저자 김슬옹 제공
- 197쪽 타자기: (사)세종 대왕 기념 사업회 제공
- 209쪽 최정호체: 안상수 교수 소장